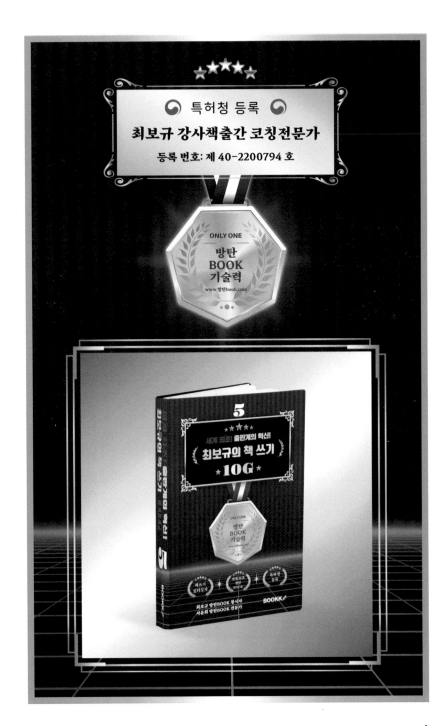

특허청 등록
최보규 강사책출간 코칭전문가
등록 번호: 제 40-2200794 호

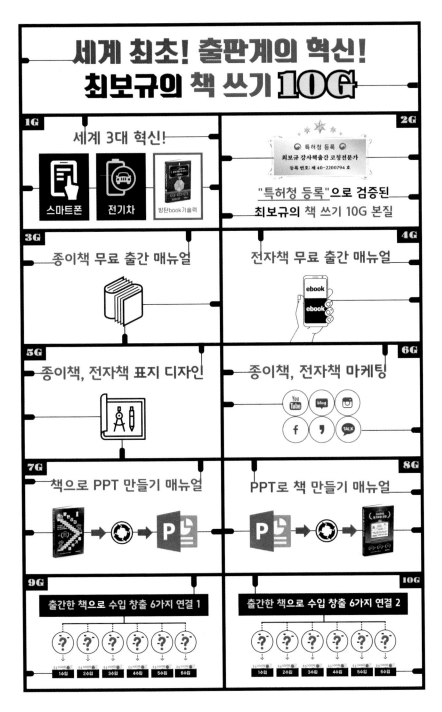

세계 최초! 출판계의 혁신!
최보규의 책 쓰기 10G

1G 세계 3대 혁신!

스마트폰 전기차 방탄book기술력

2G

특허청 등록
최보규 강사책출간 코칭전문가
등록 번호: 제 40-2200794 호

"특허청 등록"으로 검증된
최보규의 책 쓰기 10G 본질

3G 종이책 무료 출간 매뉴얼

4G 전자책 무료 출간 매뉴얼

ebook
ebook

5G 종이책, 전자책 표지 디자인

6G 종이책, 전자책 마케팅

7G 책으로 PPT 만들기 매뉴얼

8G PPT로 책 만들기 매뉴얼

9G 출간한 책으로 수입 창출 6가지 연결 1

? ? ? ? ? ?

1수입 2수입 3수입 4수입 5수입 6수입

10G 출간한 책으로 수입 창출 6가지 연결 2

? ? ? ? ? ?

1수입 2수입 3수입 4수입 5수입 6수입

3

만나서 반갑습니다!
좋은 일이 생길 거예요!

가슴이 설레는 만남이 아니어도 좋습니다.
가슴이 떨리는 운명적인
만남이 아니어도 좋습니다.
만남 자체가 소중하니까요!

최보규 방탄book기술력 창시자

핵심
내용 설명

특허청 등록
최보규 강사책출간 코칭전문가
등록 번호: 제 40-2200794 호

세계 최초! 출판계의 혁신!
최보규의 책 쓰기
10G

책쓰기
일타강사

세계 최초
방탄
BOOK

특허청
등록

최보규의 책 쓰기 10G 핵심 내용 설명

세계 3대 혁신!

스마트폰

전기차

방탄book기술력

세계에는 3대 혁신이 있다. 1대는 스마트폰, 2대는 전기차, 3대는 출판계의 혁신인 방탄book기술력이다. 기존 출판사 99%는 책만 출간 한다.

방탄book출판사는 6가지 수입 창출을 할 수 있는 책을 출간 한다.

최보규의 책 쓰기 10G
핵심 내용 설명

🔰 특허청 등록 🔰
최보규 강사책출간 코칭전문가
등록 번호: 제 40-2200794 호

**"특허청 등록"으로 검증된
최보규의 책 쓰기 10G 본질**

20,000명 심리 상담, 코칭, 종이책 150권, 전자책 250권 총 400권 출간으로 알게 된 책 쓰기, 책 출간의 본질! 사람들이 시간, 돈 낭비를 하는 이유는 본질을 모르고 책 쓰기를 하기 때문이다. 본질을 모르면 노오력만 하다 지쳐 떨어져 나가지만 본질을 알면 올바른 노력을 하게 되어 시간, 돈 낭비를 줄이고 결과를 만들어 낸다.

최보규의 책 쓰기 10G
핵심 내용 설명

종이책 무료 출간 매뉴얼

대한민국 평균 1권 자비출판 비용이 평균 300만 원 발생한다. 150권 출간했다면 300*150= 4억 5천만 원이 발생했을까? 아니다! 방탄book기술력이 있다면 0원이면 가능하다. 방탄book기술력이면 10권, 100권, 1.000권 출간도 0원으로 할 수 있다. 원고 작업부터 책 출간까지 5단계로 쉽게 종이책을 출간할 수 있는 방탄book기술력을 세계 최초로 공개한다.

최보규의 책 쓰기 10G
핵심 내용 설명

움직이지 않아도 수입을 발생시킬 수 있는 것이 전자책이다. 자는 동안에도 수입이 발생한다. 여행 중에도 수입이 발생한다. 커피숍에서 지인들과 수다를 떨고 있을 때도 수입이 발생한다. 장거리 운전 중에도 수입이 발생한다. 월세, 연금성 수입을 발생시키는 전자책은 선택이 아닌 필수다. 이제 당신도 전자책을 무료로 5분 안에 만들 수 있다.

최보규의 책 쓰기 10G
핵심 내용 설명

종이책, 전자책 표지 디자인

지금 시대(숏츠,유튜브, SNS...) 집중도가 전문가들에 의하면 금붕어보다 못하다고 한다.(금붕어 9초, 사람 8초) 한마디로 8초 안에 선택받지 못하면 끝난다는 것이다. 사람의 심리에서 시각적인 효과가 95%를 차지한다. 하루가 멀다 하고 수 천개의 이미지, 영상, 화려한 것에 노출 되어 이미지가 화려하지 않으면 쳐다 보지도 않는다. 책 내용도 중요하지만 책 표지도 내용 만큼 중요하다. 안 팔리는 책 표지 디자인이 있고 팔리는 책 표지 디자인이 있다.

최보규의 책 쓰기 10G 핵심 내용 설명

종이책, 전자책 표지 디자인

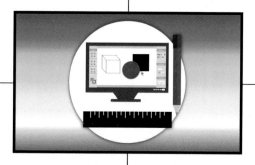

마우(마우스만 움직일 줄 아는 우주 초보)인 사람이 책과 연관된(종이책 표지, 종이책 3D 표지, 종이책날개 표지, 전자책 표지, 책에 들어갈 이미지 디자인, 책 출간 후 유튜브 홍보 영상 디자인, SNS 프로필 디자인... 등) 디자인을 할 수 있는 기술력을 배울 수 있다라면? 당신은 배울 것인가? 다음 생에 배울 것인가?

최보규의 책 쓰기 10G
핵심 내용 설명

6G

종이책, 전자책 마케팅

You Tube　　blog　　📷

f　　，　　TALK

시행착오, 대가 지불, 인고의 시간을 거쳐 출간한 소중한 책이 홍보를 하지 않아 냄비 받침대가 되어가는 것을 보고만 있는 저자들이 90%다. 누군가는 sns라는 도구를 시간 때우는 도구로 사용하고 누군가는 자신 분야 마케팅 도구로 사용을 한다. 자신 sns을 활용해서 책 마케팅을 숨을 거두는 날까지 끊임없이 해야 한다. 알리지 않으면 죽은 거와 같다.

최보규의 책 쓰기 10G
핵심 내용 설명

책으로 PPT 만들기 매뉴얼

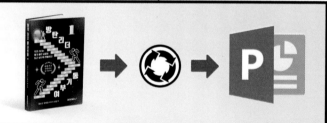

책을 출간하면 저자 특강을 하거나 출간 한 책으로 강의, 교육, 코칭을 해서 수입 창출을 한다. 출간한 책으로 PPT 교육, 강의, 코칭 자료를 만들어서 해야지만 수입이 올라가고 전문성을 인정받는 것은 아니다. 하지만 몸값을 올리는 사람, 삼성(진정성, 전문성, 신뢰성)을 인정받는 사람들은 출간 한 책으로 PPT 교육, 강의, 코칭 자료를 만든다는 것을 명심해야 한다.

최보규의 책 쓰기 10G
핵심 내용 설명

PPT로 책 만들기 매뉴얼

누군가는 PPT를 일할 때 외에는 활용하지 않는다. 하지만 누군가는 PPT를 활용하여 책을 출간해서 제2수입, 제3수입을 올린다. 왜 가지고 있는 경력, 가지고 있는 PPT를 썩히고 있는가? 누구도 말하지 못한 PPT로 책출간! 어디에서도 보지 못한 PPT로 책출간! 어떤 책에서도 보지 못한 PPT로 책출간! 어떤 영상에서도 보지 못한 PPT로 책출간! 어떤 사람에게도 들을 수 없는 PPT로 책출간!

최보규의 책 쓰기 10G
핵심 내용 설명

출간한 책으로 수입 창출 6가지 연결 1

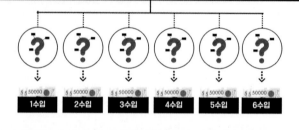

출판계 현실! 출간 한 책 90% 책들이 3개월 뒤에는 냄비 받침대가 되어 버린다. 한마디로 책 활용하는 방법을 배우지 않는다. 누군가는 책만 출간하고 누군가는 출간한 책과 <u>방탄book기술력을 연결시켜 6가지 수입을 창출한다.</u> 당신은 책 1권 출간하는 방법만 배울 것인가 책 1권 출간하여 6가지 수입 창출을 할 수 있는 방탄book기술력을 배울 것인가?

최보규의 책 쓰기 10G
핵심 내용 설명

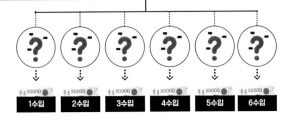

출간한 책으로 수입 창출 6가지 연결 2

1수입 2수입 3수입 4수입 5수입 6수입

대한민국에 90% 출판사들이 책만 출간한다. 대한민국에 1%인 방탄book출판사는 자신 분야를 6가지 수입을 발생시킬 수 있는 책 출간을 한다. 당신의 선택은? 책만 출간하는 책 쓰기 교육, 코칭? 책도 출간하고 출간한 책을 활용해서 6가지 수입을 발생시키는 책 쓰기 교육, 코칭? 3고 시대, 은퇴 나이 49세 시대를 극복하기 위한 방탄book기술력 시작하자!

20,000명 심리 상담, 코칭으로 알게 된
20,000명이 바라는 책 쓰기, 책 출간 교육, 코칭

 # 10가지

1 한번 출간한 책으로 평생 활용하는 방법을 알려주는 교육, 코칭

2 로또 2등과 같은 기획출판을 하기 위해서 출판기획서 제작 스트레스, 거절 메일을 확인 하는 스트레스, 370가지 스트레스... 등 마음고생 덜 하고 책 출간할 수 있는 책 쓰기 교육, 코칭

3 책 활용 수입 창출 시스템 교육을 검증 된 전문가에게 한 곳에서 시간, 돈 낭비를 줄여주는 책 쓰기 교육, 코칭

4 한번 코칭으로 100년 a/s, 피드백, 관리해주는 책 쓰기 교육, 코칭

5 책 출간 후 자신 분야 삼성(진정성, 전문성, 신뢰성)을 높여 자신 분야 내공, 가치, 몸값까지 올릴 수 있는 책 쓰기 교육, 코칭

출간한 책으로 강사가 되어 은퇴 후 제2의 직업을 할 수 있는 책 쓰기 교육, 코칭

 책 출간 후 자신 분야 코칭 전문가가 되어 은퇴 후 제3의 직업까지도 할 수 있는 책 쓰기 교육, 코칭

 책 출간 후 온라인 콘텐츠까지 제작을 해서 비수기 없는 책 쓰기 교육, 코칭

 책 출간 후 디지털 콘텐츠까지 제작을 해서 월세, 연금성 수입까지 발생시킬 수 있는 책 쓰기 교육, 코칭

 책 한 권 출간하고 끝나는 것이 아니라 100년 동안 책을 무한대로 출간 할 수 있는 책 쓰기, 책 출간 기술력을 교육, 코칭

책 쓰기, 책 출간 교육, 코칭은 누구나 한다.
6가지 수입 창출 책 쓰기, 책 출간
교육, 코칭은 방탄BOOK 창시자 뿐이다.

특허청 등록
최보규 강사책출간 코칭전문가
등록 번호: 제 40-2200794 호

방탄
book

www.방탄book.com

NAVER 방탄book기술력

세계에서 20,000명이 바라는
책 쓰기, 책 출간 교육, 코칭 10가지를
할 수 있는 곳은

방탄book출판사 뿐이다!
최보규 방탄book기술력 코칭전문가

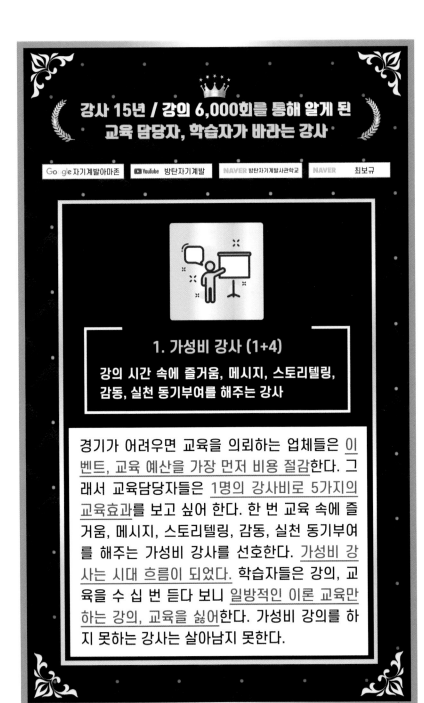

강사 15년 / 강의 6,000회를 통해 알게 된 교육 담당자, 학습자가 바라는 강사

1. 가성비 강사 (1+4)

강의 시간 속에 즐거움, 메시지, 스토리텔링, 감동, 실천 동기부여를 해주는 강사

경기가 어려우면 교육을 의뢰하는 업체들은 <u>이벤트, 교육 예산을 가장 먼저 비용 절감</u>한다. 그래서 교육담당자들은 <u>1명의 강사비로 5가지의 교육효과</u>를 보고 싶어 한다. 한 번 교육 속에 즐거움, 메시지, 스토리텔링, 감동, 실천 동기부여를 해주는 가성비 강사를 선호한다. <u>가성비 강사는 시대 흐름이 되었다.</u> 학습자들은 강의, 교육을 수 십 번 듣다 보니 <u>일방적인 이론 교육만 하는 강의, 교육을 싫어</u>한다. 가성비 강의를 하지 못하는 강사는 살아남지 못한다.

Google 자기계발아마존   ▶YouTube 방탄자기계발   NAVER 방탄자기계발사관학교   NAVER   최보규

2. 스펙, 강사료 값어치를 하는 강사

**지금까지 들었던 강사와 다른 내공, 가치, 값
어치가 다르게 느껴지는 강사**

프로필에 있는 스펙은 1시간에 100만 원 강사
비를 받는 자격은 되는데 강의 내용이 10만 원
강사보다 못한 강의를 하는 강사들이 많다. 한
마디로 스펙, 강사료 값어치를 못 하는 강사가
많다는 것이다. 학습자가 강의를 들었을 때 "이
런 강의는 나도 하겠다. 뻔한 강의, 차별화가 없
는 강의, 신선함이 없는 강의, 강의 듣는 시간에
잠이나 자는 게 낫겠다. 이런 내용으로 하는 강
의라면 강사 개나 소나 다하겠다."라는 마음을
들게 하면 최악의 강사다.

2. 스펙, 강사료 값어치를 하는 강사

지금까지 들었던 강사와 다른 내공, 가치, 값
어치가 다르게 느껴지는 강사

학습자가 강의를 들었을 때 "전에 비슷한 강의
수십 번 들었지만 이강사는 다르다. 프로필에 나
온 스펙, 타이틀 값어치를 하는 강사다. 다시 듣
고 싶게 하는 강의 내용이다. 강의 내용이 너무
좋아서 강사료를 더 챙겨 주고 싶게 만든다.
학습자를 사랑하는 마음이 느껴지는 강의다. 이
런 강의는 10시간도 듣고 싶다."라는 마음을 들
게 하는 강사가 가성비 강사이고 스펙, 강사료
값어치를 하는 강사이다. 강사가 스펙 값, 타이
틀값, 경력 값을 하는 건 당연한 것이다.

3. 실천할 수 있는 강의 사용 설명서를 주는 강사

강의 때 배운 것들 강의 끝난 후 활용할 수 있는 사용 설명서(도구)를 주는 강사

20,000명 심리 상담, 코칭 하면서 알게 된 것은 사람의 심리는 <u>1시간 교육, 강의를 듣더라도 90%는 잊어버리고 10%만 기억</u>을 한다. 10%를 기억하는 사람들 중에 <u>실천하는 사람은 0.1%도 되지 않는다.</u> 아무리 강의, 교육이 좋아도 기억이 나지 않는데 어떻게 생활 속에서 실천을 하겠는가? 돌아서면 다 잊어버리기 때문에 교육, 강의가 끝난 후에도 실천할 수 있는 매개체를 주어야 한다. 눈에 보여야 실천 확률이 높기에 <u>시각적인 실천 동기부여 도구</u>를 주어야 한다. <u>학습자들이 가장 바라는 것은 교육, 강의가 끝난 후에도 생활 속에서 실천 할 수 있게 해주는 것이다.</u>

강사 15년 / 강의 6,000회를 통해 알게 된 교육 담당자, 학습자가 바라는 강사

Google 자기계발아존 　　 ▶YouTube 방탄자기계발 　　 NAVER 방탄자기계발사관학교 　　 NAVER 최보규

1. 가성비 강사 (1+4)

강의 시간 속에 즐거움, 메시지, 스토리텔링,
감동, 실천 동기부여를 해주는 강사

2. 스펙, 강사료 값어치를하는 강사

지금까지 들었던 강사와 다른 내공, 가치, 값어
치가 다르게 느껴지는 강사

3. 실천할 수 있는
강의 사용 설명서를 주는 강사

강의 때 배운 것들 강의 끝난 후 활용할 수 있는
사용 설명서(도구)를 주는 강사

최보규 강사의 차별화 강의가 아닌 초월 강사

Google 자기계발아마존 | ▶YouTube 방탄자기계발 | NAVER 방탄자기계발사관학교 | NAVER 최보규

1. 가성비 강사가 되기 위해 강사 15년간 2,000권 독서 / 7,000개 메모 / 자기계발서 150권 출간을 통한 메시지, 스토리텔링 강의.

2. 학습자가 봤을 때 "이런 강의는 나도 하겠다."라는 말을 듣지 않고 쓰리 값(나이값, 스펙값, 강사료값)어치를 하기 위해서 **강사 11계 명 실천**으로 80억 분의 1 검증된 전문가 다운 강의를 하는 강사.

3. 교육, 강의가 끝난 후에 생활 속에서 실천 동기부여를 할 수 있는 **도구, 사용 설명서**(강사 사비 제작)를 통해 변화, 성장할 수 있게 해주는 강사.

대한민국 99%가 책 쓰기, 출간하는 방법만
교육, 코칭 한다!
6가지 수입 창출 책 쓰기, 출간 기술력을
교육, 코칭 하는 곳은 **방탄book출판사뿐이다.**

방법을 알면 1권 출간하고 끝이지만
방탄book기술력을 알면
10권, 100권, 1.000권... 도 가능하다.

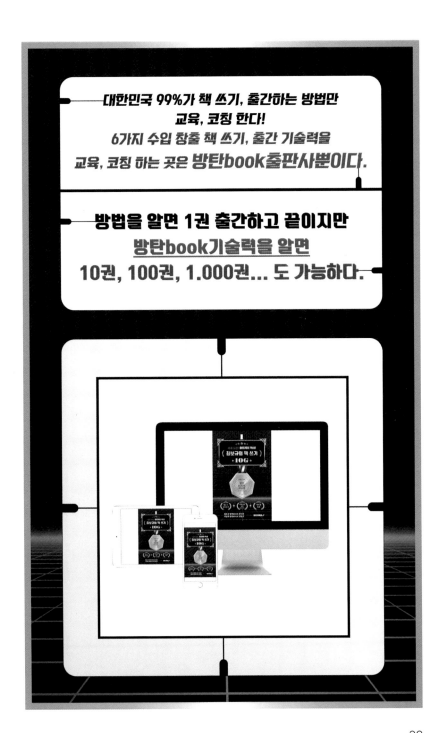

1. 가성비 코칭

**변화, 성장, 자신 분야 연결을 통해 제2수입,
제3수입 까지 발생시킬 수 있는 코칭**

대부분 사람들이 자신 분야 스펙, 경력과 무관한 새로운 분야 코칭을 받고 새로운 분야를 만들려고 한다. 그러다 보니 힘들고 어려운 것이다. 자신 분야 스펙, 경력과 연결시킬 수 있는 분야 코칭을 받는다면 좀 더 수월할 것이다. 지금 시대는 한 분야 전문성으로는 힘든 시대이기에 자신 분야 스펙, 경력을 살려서 수입을 창출할 수 있는 방법이 아닌 기술력을 배울 수 있는 가성비 코칭을 원한다. 방법을 배우면 3개월 밖에 안가지만 기술력을 배우면 100년 간다.

20,000명 심리 상담, 코칭을 통해 알게 된
일반인, 강사, 리더, CEO, 은퇴자, 프리랜서가 바라는 **코칭 전문가**

Google 자기계발아마존	▶YouTube 방탄자기계발	NAVER 방탄자기계발사관학교	NAVER	최보규

2. 시간, 돈 낭비를 하지 않는 코칭

검증이 되지 않는 코칭에 속아 시간과 돈 낭비를 줄여서 빠른 수입 창출 코칭

방탄book기술력 코칭을 하다 보면 대부분 사람들이 처음 코칭 받는 사람은 드물고 여러 번 코칭을 받으면서 시간, 돈 낭비를 하고 난 뒤에 방탄book기술력 코칭을 받는다. 여러 코칭을 받으면서 수백만 원 ~ 수 천만 원을 투자했는데도 제대로 수입을 창출하지 못했다고 하소연하는 사람들이 많다. 속된 말로 혹하는 말에 속아 시간, 돈 낭비를 했다는 것이다. 지금 시대 검증 안된 전문가(사기꾼)들이 너무 많다. 시간, 돈 낭비를 줄이기 위해서는 표면적으로 검증할 수 있는 검증된 전문가인지, 시스템이 있는지 확인을 해야 한다. 예시) 박사, 10권 이상 전문 서적, 특허청 등록...등

3. 코칭, PT 받은 후
A/S, 피드백, 관리를 해주는 코칭
혼자 스스로 할 수 있을 때까지, 자리 잡을 때까지
멘토가 되어 주는 코칭

코칭 받기 전에는 속된 말로 간, 쓸개 다 빼준다는 말로 혹하게 하여 교육, 코칭을 듣게 한다. 교육, 코칭 끝나면 혼자서 알아서 하라는 식으로 나 몰라 한다. 이런 교육, 코칭이 90%이다. 당연히 교육, 코칭의 기본 전제는 자신이 배운 것을 토대로 스스로 끊임없이 학습, 연습, 훈련을 해야 하지만 스스로 혼자 할 수 있을 때까지는 어느정도 전문가의 케어가 필요한데 안타깝게도 현실은 그렇지 않다. 교육, 코칭 받을 때는 언제든지 전화하면 피드백 해준다는 말을 하면서 정작 전화하면 안 받거나 피한다. 방탄book기술력 <u>교육, 코칭 받는 사람들 100%가 놀라는 것이 150년 a/s, 피드백, 관리에 놀란다. 자립할 때까지 케어해주고 인연이 되어 준다.</u>

1. 가성비 코칭

변화, 성장, 자신 분야 연결을 통해 제2수입,
제3수입 까지 발생시킬 수 있는 코칭

2. 시간, 돈 낭비를 하지 않는 코칭

검증이 되지 않는 코칭에 속아 시간과 돈 낭비
를 줄여서 빠른 수입 창출 코칭

3. 코칭, PT 받은 후
A/S, 피드백, 관리를 해주는 코칭

혼자 스스로 할 수 있을 때까지, 자리 잡을 때까
지 멘토가 되어 주는 코칭

최보규 전문가의 차별화 코칭(PT)이 아닌 초월 코칭(PT)

 Google 자기계발아마존　 YouTube 방탄자기계발　 NAVER 방탄자기계발사관학교　NAVER 최보규

1. 가성비 코칭을 해주기 위해서 자신 분야와 6가지 수입 창출하는 방법을 연결시킬 수 있는 기술력을 체계적으로 교육하는 코칭.

2. 특허청 등록: 제 40-2072344 호 [최보규 자기계발코칭 창시자] 매뉴얼, 시스템이 검증된 전문가로서 시간과 돈 낭비를 줄여주는 코칭.

3. 청출어람 사명감으로 150년 A/S, 피드백, 관리를 해준다는 우주 최강 책임감으로 멘토가 되어주는 코칭.

목차

세계 최초! 출판계의 혁신!

최보규의 책 쓰기

10G

책쓰기
일타강사

세계최초
방탄
BOOK

특허청
등록

목차

종이책, 전자책 마케팅

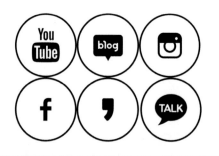

시행착오, 대가 지불, 인고의 시간을 거쳐 출간한 소중한 책이 홍보를 하지 않아 냄비 받침대가 되어가는 것을 보고만 있는 저자들이 90%다. 누군가는 sns라는 도구를 시간 때우는 도구로 사용하고 누군가는 자신 분야 마케팅 도구로 사용을 한다. 자신 sns을 활용해서 책 마케팅을 숨을 거두는 날까지 끊임없이 해야 한다. 알리지 않으면 죽은 거와 같다.

20,000면 심리 상담, 코칭 하면서 알게 된 사람의 심리는 시행착오, 대가 지불, 인고의 시간이 들어가면 소중하게 생각을 하고 시행착오, 대가 지불, 인고의 시간이 안 들어가면 소중하게 생각하지 않는다. 90%가 이런 심리가 생긴다. 하지만 간혹 시행착오, 대가 지불, 인고의 시간이 들어갔는데 소중하게 생각하지 않는 사람들이 있고 시행착오, 대가 지불, 인고의 시간이 들어가지 않았는데 소중하게 생각하는 사람도 있다.

여기서 이런 생각이 들것이다. "엥 무슨 말이야? 시행착오, 대가 지불, 인고의 시간이 들어가면 무조건 소중하게 생각하는 거 아닌가? 시행착오, 대가 지불, 인고의 시간이 들어가지 않으면 무조건 소중하게 생각하지 않는 거 아닌가?"

사람이 하는 것은 100%가 없다. '100% 소중하게 생각한다. 100% 소중하지 않게 생각한다.'라는 것은 없다는 것이다. 심리 상담 전문가로서 정답 아닌 정답을 말해준다면 시행착오, 대가 지불, 인고의 시간이 들어가지 않으면 90% 이상 사람들이 소중하게 생각하지 않고 시행착오, 대가 지불, 인고의 시간이 들어가면 90% 이상 소중하게 생각을 한다는 것이다. 결론적으로 시행착오, 대가 지불, 인고의 시간이라는 것이 들어가면 소중함이라는 자동차의 연료가 되어 귀하게 생각한다는 것이다. 사람, 일, 인생도 마찬가지이다. 시행착오, 대가 지불, 인고의 시간이라는 연료를 얼마만큼 겪느냐에 따라 나다운 인생, 행복한 인생의 질이 달라지는 것이다.

책 또한 시행착오, 대가 지불, 인고의 시간이라는 연료로 책의 가치, 내공, 값어치가 달라진다는 것이다.
책 출간 후 3개월이 지나면 90% 책들이 냄비 받침대가 되어가는 현실을 보면서 자신 책의 의미, 출간한 책의 가치를 그 누가 아닌 저자 자신이 자신 책을 죽이는지도 모르고 죽이고 있다는 것이다.

책 출간 직후 90%의 저자들 대부분은 이런 태도를 가지고 있다. "속된 말로 책 1권 출간하는 것이 아이 1명 낳는 거와 비슷하다는 말이 있듯이 책 출간하기까지 많은 시행착오, 대가 지불, 인고의 시간을 거쳐서 출간했습니다. 저에게는 자녀와도 같은 책입니다. 너무 소중한 책입니다."

하지만 출간 후 3개월이 지나면 자녀 같은 책, 소중한 책... 마케팅을 하지 않아 냄비 받침대가 되어 책의 가치, 책의 값어치를 남이 아닌 저자 자신이 잊혀지게 만드는 작가들이 90%다.

방탄book기술력 교육, 코칭 과정에서 방탄book정신교육 할 때 늘 하는 말이 있다.

"이 책이 자신 자녀라면서요?"
"이 책이 자신의 최고의 보물이라면서요?"
"이 책이 자신이 아끼는 것 중 하나라면서요?"
"이 책이 자신의 분신이라면서요?"
"이 책이 그 무엇으로도 바꿀 수 없는 가치 있는 책이라면서요?"
"이 책이 3대까지 물려줘야 될 책이라면서요?"
"이 책으로 돈 벌려고 쓰는 거 아닙니다. 많은 사람들에게 작게나마 도움이 되었으면 좋겠습니다."라고 말한 책이라면서요?"

자녀가 태어나면 성인이 되어 자리 잡을 때까지 의무적으로 보살펴야 하듯이 책이 출간 직후에는 가족, 소중한 사람들, 지인들에게 자랑하기 위해서 밖에 딴나도록 알리면서 책 출간 후 3개월이 지나면 "내가 언제 책을 출간 했나?" 라는 마음이 들 정도로 책 출간 초심이 식어

버리는 상황이 벌어집니다. 세상에서 가장 소중한 책이 세상에서 가장 쓸모없는 책인 냄비 받침대 취급해버리는 사람이 될 수도 있다는 것입니다. "자녀 낳는다는 마음으로 책 출간했습니다."라는 말을 하면서 자녀를 3개월만 키우고 내팽개치나요? 평생 관리해야 되는 거 아닌가요?

한편으로 먼저 사과 말씀드립니다. 책 쓰기, 책 출간 교육, 코칭을 제대로 하는 사람이 없어서 이런 상황이 만들어진 것에 대한 코칭 전문가로서 사과드립니다.

책 쓰기, 책 출간 교육, 코칭하는 사람들이 바로 서있어야 되는 것이다. 그래서 이 책을 쓰게 된 이유 중에 하나이다.

나쁜 자녀는 없다. 나쁜 부모만 있다.
나쁜 직원은 없다. 나쁜 리더만 있다.
나쁜 개는 없다. 나쁜 견주만 있다.
나쁜 저자는 없다. 나쁜 책 쓰기, 책 출간 교육, 코칭을 하는 책 쓰기 전문가만 있다.

20,000명 심리 상담, 코칭 하면서 알게 된 것은 책 쓰는 이유를 물어보면 30%만 "돈 벌 생각이 아닌 이름

석자 들어간 책을 출간하는 것만으로 만족합니다." 라고 했다. 30% 사람들이 방탄book기술력 교육, 코칭을 받고 땅을 치고 후회를 했다. "처음부터 방탄book기술력 코칭을 받았다면 이름만 들어간 책이 아닌 내 분야와 연결하여 수입까지 발생시킬 수 있는 책을 출간했다면 더 좋았을 걸 후회됩니다."

오해하지 말고 들었으면 한다. 자신 이름 석 자 남기려고 책 쓰고, 책 출간한다는 것이 나쁘다고 말하는 게 아니다. 똑같이 책을 쓰고 책을 출간하는데 누군가는 이름 석 자 남기려고 책을 출간하고 누군가는 이름 석 자도 남기고 내 분야 연결하여 은퇴 준비, 미래 준비, 노후 준비까지 될 수 있는 책 출간을 한다.

당신이라면 어떤 것을 선택할 것인가? 가진 것이 많다면 이름 석 자만 남기는 책을 출간하는 것도 좋다. 가진 것이 많아서 이름 석 자만 남기는 책 출간하려는 사람이 몇 명이나 되겠는가? 20,000명 심리 상담, 코칭 하면서 알게 된 것은 가진 것이 많아서 이름 석 자만 남기는 책 출간하는 사람은 1%도 되지 않는다.

이름 석 자도 남기고 자신 분야와 출간한 책을 연결하여 6가지 수입을 발생시킬 수 있는 것까지 가능하다면 2마리 토끼가 아니라 6마리 토끼를 잡는 것이다. 그러기 위해서는 책 마케팅을 잘 해야 된다. 책 마케팅은 숨을 거두는 날까지 해야 한다.

누군가는 출간한 책이 냄비 받침대가 되어가고
누군가는 출간한 책이 인생 디딤돌이 되어간다.

어떤 사람? 당신의 선택은?

OOO책 쓰기, 책 출간 교육받고 책 출간했는데 3개월 지나니 별거 없다. 책 쓰는 방법만 배우니 출간한 책이 냄비 받침대 되어 간다... 출간 한 책을 활용할 수 있는 방법은 없나? 출간한 책이 너무 아깝다. 책이 죽어가요! 누가 좀 도와주세요!

방탄book기술력 코칭 받고 책 출간으로 내 분야와 연결하여 지속적인 홍보마케팅이 되어 수입이 지속적으로 발생하고 나이들어도 계속할 수 있는 기술력을 만들 수 있어서 너무 감사합니다. 방탄book기술력은 인생에 디딤돌입니다.

삼성, 현대, 코카콜라, 나이키, 아디다스, 애플, 벤츠... 등 이들 브랜드, 제품들 모르는 사람 있는가? 그런데 이 회사들이 새 제품 홍보를 떠나서 새 제품이 나오지 않아도 인지도 있는 운동경기장에 대중매체에 수백억, 수천억을 들여 홍보를 꾸준히 한다. 다음으로 나오는 기업들의 홍보마케팅 비용을 참고하자.

1. 걸어 다니는 11개의 광고판, 유니폼.
EPL 20개 팀의 2019년 유니폼 스폰서 규모만 해도 최소 5000억 이상입니다. K1 리그 12개 구단의 평균 수입을 다 더해도 3000억 가량이라고 하니, 유니폼 스폰서 시장의 방대한 규모가 짐작되실 것 같습니다.

기업들은 왜 축구 유니폼에 광고를 할까요?
첫째, 보다 많은 사람들에게 브랜드를 노출시키기 위함입니다. 남녀노소, 경기장뿐만 아니라 중계를 통해 전달되는 축구 경기는 많은 사람들에게 브랜드를 노출할 수 있는 절호의 기회입니다.

둘째, 브랜드 이미지를 긍정적으로 구축하기 위함입니

다. 가령, 프리미어 리그 빅4 구단을 후원할 경우, 소비자에게 보다 고급스러운 브랜드 이미지를 각인시킬 수 있다고 합니다.

실제로 10년간 첼시를 후원했던 삼성의 경우, 첼시 후원 전에 비해 영국 내 삼성전자 매출이 3배에 가깝게 상승했다고 하네요. 당시 강팀이었던 첼시를 후원하면서 삼성전자가 보다 고급 브랜드로 포지셔닝 되며 이것이 결국 매출 상승으로 이어지게 된 것이죠.

2. 유니폼의 어떤 부분에 광고가 새겨지나요?

흔히 유니폼 스폰서라고 하면, 가슴 정중앙에 새겨진 로고를 떠올리는 경우가 많은데요. 사실 축구 시장이 점점 더 커지고, 구단 운영을 위한 비용이 점차 상승하며 스폰서 부위는 아래와 같이 점차 확대되어 왔습니다.

a. 유니폼 전면의 가슴 중앙, 쇄골 부위

b. 유니폼 후면 등번호 상단 하단 부위

c. 유니폼 측면 소매 부위

d. 유니폼 하의

3. 스폰서 위치 결정 주체 및 광고비용

일반적으로 유니폼 스폰서가 부착될 수 있는 위치와 크기는 각국 축구협회(연맹)에서 결정합니다. 로고의 크기와 위치까지 모두 규격화되어 있다고 하네요. 또한 리그별로 허용되는 광고 부위가 다르며, 부위별로 가격도 다릅니다. 이는 부위별로 새겨질 수 있는 로고의 크기가 다르기 때문이기도 하지만, 결정적으로는 경기 중계시 노출될 수 있는 빈도가 부위별로 달라지기 때문입니다. 가령, J리그의 유니폼 부위별 스폰서 단가는 아래와 같습니다

가슴(메인 스폰서) 30억
소매 5억
쇄골부분 20억
등 20억
하의 9억
-18/19시즌 J1리그-

4 스폰서십 계약의 다양화
최근에는 1. 홈경기/원정 경기, 2. 경기복/훈련복 3. 참여 대회별 (챔스/EPL 등)로 스폰서십을 차별화하여 계약하는 경우도 늘어나고 있습니다. 가령, 손흥민 선수가 활약하고 있는 토트넘은 2014년까지 정규리그와 컵 대회의 유니폼 메인 스폰서십을 별도로 운영했다고 하네요.

<네이버 블로그 프로젝트 위드>

삼성전자, LG전자 마케팅 비용

<삼성전자>

광고비 8189억 원, 판매촉진비 1조3742억 원 지출.

<LG전자는>

광고비 1931억 원, 판매촉진비 1641억 원 지출.

슈퍼볼(미국 프로미식축구리그 결승전)'초당 약 2억 원.

[뉴스핌 Newspim] 김겨레 기자

기업들처럼 수백억, 수천억... 을 들이지는 못하더라도 자신 분야 홍보마케팅을 최소의 비용으로 최대 효과를 내기 위한 홍보를 해야 되는 것이다.

누구나 최고의 홍보 마케팅 도구를 가지고 있다? 무엇을 상상하는가? 누구나 가지고 있는 것이 무엇인가? 스마트폰이다. 스마트폰으로 할 수 있는 자신의 SNS다. 스마트폰으로 할 수 있는 가장 기본적인(무료) 홍보마케팅 도구가 유튜브 자신 채널, 네이버TV, 카카오TV, 카카오스토리, 카카오톡(펑), 페이스북, 인스타그램, 유튜브, 네이버 블로그, 카카오스토리, 티스토리, 밴드... 등이 있을 것이다.

지금 어떤 시대에 살고 있는가? 스마트폰으로 인해서

하루만 해도 영상, 이미지, 글... 눈이 아플 정도로 화려한 것을 수 만개는 본다. 한마디로 지금 시대 사람들의 평균 시각적인 수준이 높다는 것이다.

이런 상황에서 디자인이 평범하거나 호기심을 유발, 궁금증 유발 "이런 디자인은 처음 보는데 너무 신선하다. 럭셔리하다."라는 마음이 들어서 보고 싶도록 디자인을 제작해야만 선택할 확률이 높아지는 것이다. 다음은 지금 현실 속 사람들의 집중력에 대한 내용이다.

겨우 8초, 금붕어보다 못한 인간의 집중력

소위 'MZ'라고 불리는 요즘 젊은 세대는 어렸을 때부터 늘 새로운 자극으로 가득한 디지털 환경에 노출된 채 자랐다. 그래서인지 한 가지 주제에 오랫동안 집중하기 상당히 어려운 뇌 구조를 지녔다고 한다. 뭔가에 집중할 수 있는 시간(Attention Span)에 관한 연구를 살펴보자. 아동이 주의해서 집중할 수 있는 시간은 얼마나 될까? '자신의 나이×1분' 정도라고 한다. 6세 어린이는 약 6분 정도 집중할 수 있다는 뜻이다. 이 시간은 개인에 따라 차이가 있고, 몰입하면 10~15분까지는 늘어날 수 있다. 너무 지루하지도 않고 그렇다고 아주 재미있지도 않은 평범한 수업을 하고 있다고 하자. 십 대 학생들은 보통 수업을 듣기 시작하면 약 10분 후부터 집중력이 떨어진다. 일반적으로 이들이 뭔가에 주의해서 집중할 수 있는 시간은 20분을 넘기기 어렵다. 따라서 수업 시작 후 10~20분이 지나면 신경전달물질이 고갈된 학생들은 이내 집중에 어려움을 느끼고 주의가 산만해진다. 그래서 유튜브 영상의 평균 길이는 15~20분이고, 테드(TED) 강연 길이는 18분이다. 집중력을 감안해 메시지를 확실히 전달하기 위한 시간이다. 드롭박스의 마케팅 신화를 쓴 실리콘밸리 최고의 마케터 션 앨리스(Sean Ellis)가 한 말을 약간 각색하여 들어보자.

"고객의 주의집중을 원하신다고요? 사업 규모의 확장을 위해서는 시장이 원하는 언어를 사용해야 합니다. 언어의 시장 적합성이 무엇보다 중요하죠. 잠재 고객의 마음을 움직일 수 있는 말을 상상해 보세요. 당신이 만든 제품을 고객이 마주할 때 어떻게 해야 가장 효율적으로 전달할 수 있을지 생각해 보셨나요? 고객이 좋아하지 않는 언어로 구애한다면 필패입니다. 제품 가치를 알아줄 상대방이 없는 곳에서 헛스윙을 하는 거라고 생각하면 됩니다." 여기서 왜 고객의 마음을 끌어당길 언어에 몰두해야 하는지 그 이유가 나온다. 스마트폰이 생기기 전 고객이 광고에 집중할 수 있는 시간은 12초였다. 이제는 8초로 뚝 떨어졌다. 9초인 금붕어보다 못하다.

주의집중 시간의 변화
12초 - 2000년 인간의 평균 주의집중 시간

8초 - 2015년 인간의 평균 주의집중 시간
9초 금붕어의 주의집중 시간

인간의 평균 주의집중 시간 인간의 평균 주의집중 시간 금붕어의 주의집중 시간 왜 이런 일이 발생했을까? 주변의 수많은 자극에 적응하다 보니 주의력이 줄어들었다는 것이 통설이다. 생각해 보라. 우리는 매일매일 넘치는 정보의 홍수 속에서 살아가고 있다. 수시로 오는 문자와 카카오톡 메시지, 귀찮아 들여다보지도 않는 이메일처럼 하루하루 우리의 신경을 산만하게 하는 요소가 차고 넘친다. 그 결과 집중해서 주의를 지속하는 시간이 줄어드는 것은 당연한 결과다. 게다가 여러 일을 한꺼번에 하는 멀티태스킹형 업무 방식에 길들여진 젊은 세 대에게 이런 현상은 더욱 심각하게 다가올 수밖에 없다.

뇌 신경세포를 뜻하는 뉴런과 마케팅의 합성어인 뉴로마케팅(Neuro Marketing)의 연구 결과를 보자. 브랜드의 색상이 소비자로 하여금 다양한 감정을 불러일으킨다고 한다. 소비자들이 상품을 구매하는 데 있어 시각적 효과가 약 95%를 차지한다고 하니, 디자인과 색감이 큐레이터에게는 아주 중요하다. 색은 브랜드를 인식하는 강력한 수단으로, 그리고 소비자의 신뢰를 확보하는 무기로 작용한다. 빨간색 코카콜라와 초록색 스타벅스 로고가 소비자의 지갑을 열게 하는 강력한 마케팅 도구로 활용되고 있다는 것은 마케팅 세계에서는 익히 아는 이야기다.

《감정 경제학》

금붕어의 집중력이 9초인데 지금 시대 사람들의 집중력이 8초라는 말이 씁쓸하기만 하다. 지금시대 사람들의 심리를 알려주는 내용이었다.

어떤 분야든 지금 시대 사람들의 상태, 심리를 알아야만 공격적으로 영업, 마케팅을 할 수 있고 자신 분야 제품을 알릴 수 있는 것이다.

시각적인 효과가 95%를 차지한다는 것은 어마어마한 것이다. 그래서 홍보마케팅 디자인이 중요하다고 말을 하는 것이다. 지금 시대의 사람들에게 집중력 8초를 머물게 하지 못하면 끝이다.

스마트폰을 누군가는 시간 때우는 도구로 사용하고 누군가는 자신 분야와 연결하여 전문성을 높여 수입을 발생시키는데 활용한다.

자신 책, 자신 분야를 몇 백만 원 씩 들여서 홍보 할 수도 있다. 하지만 100년(평생) 해야 하는데 한번 하는 데 몇 백만 원씩 들어가는 비용을 감당할 수 있겠는가? 노오력 홍보마케팅이 아니라 최소의 비용으로 최대의 효과를 내기 위한 전략적인 올바른 홍보마케팅이 중요한 것이다. 스마트폰에 있는 홍보마케팅 도구들을 어떻게 활용할 것인가가 중요하는 것이다.

56

스마트폰이라는 도구가 있다면 홍보할 수 있는 재료가 있어야 한다. 재료는 자신 책을 홍보하기 위한 책 홍보 디자인 한 홍보이미지다. 전문가에게 의뢰를 하면 이미지 사진 하나를 만드는 데도 몇 십만 원씩 들어간다. 유튜브 홍보 영상 제작은 최소 200만 원 ~ 500만 원이 들어간다.

앞에서도 언급했듯이 필자 디자인 실력이 마우(마우스만 움직일 줄 아는 우주 초보)라고 했다. 지금도 PPT 만드는 수준, 디자인 실력이 마우다.

종이책 150권, 전자책 250권 총 450권 출간하면서 책 홍보마케팅을 위해 디자인한 것을 모두 다 마우 실력으로 디자인 한 것이다. 믿겨지지가 않을 것이다. 어떤 도구를 활용하느냐에 따라 마우를 전문 디자이너로 만들 수 있다. 그 기적의 시작이 망고보드다. 마우 실력만 있어도 망고보드에서 필자처럼 할 수 있다. 망고보드에서 총 450권 출간한 디자인 모든 것들을 작업했다. 망고보드에서 작업할 수 있는 디자인 종류는 사람 만드는 것 빼고 다 된다고 보면 된다. 오해하지 말았으면 한다. 필자가 망고보드 직원은 아니다. 홍보대사도 아니다.

망고보드에서 디자인 가능한 것들은 다음과 같다.

스티커 디자인, 리플렛, 전단지, 포스터, 명함, 배너, 어깨띠, 현수막, 봉투, 카탈로그, 종이컵, 프레젠테이션, A0~A5, B0~B5, 카드뉴스, 인스타그램, 페이스북, 네이버 스마트스토어, 네이버 블로그, 네이버 TV, 유튜브, 트위터, 틱톡, 로고 프로필, 북커버, 메뉴판, 구글배너, 카카오모먼트, 인포그래픽.

망고보드 장점은 기존에 만들어져 있는 디자인들 샘플을 활용해서 디자인하면 된다는 것이다. 이미 만들어져 있는 디자인을 자신 취향에 맞게 수정만 하면 된다는 것이다. 다른 말이 필요 없을 것이다. 필자가 책을 홍보하기 위해 디자인했던 홍보마케팅 디자인들을 보고 판단하자.

종이책 150권, 전자책 250권 총 450권 출간하면서 디자인한 일부분 홍보마케팅 디자인을 참고하면 어떤 곳에서 홍보를 하고 어떻게 디자인을 해야 되는지 감이 올 것이다.

#. 마우(마우스만 움직일 줄 아는 우주초보) 실력으로 전문가를 능가하는 디자인을 할 수 있는 기적을 감상하길 바란다.

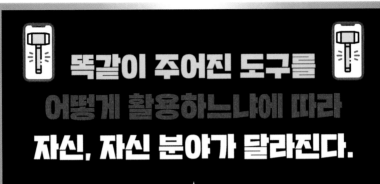

똑같이 주어진 도구를 어떻게 활용하느냐에 따라 자신, 자신 분야가 달라진다.

시간 때우는 도구!
SNS에 올라오는 쇼윈도 행복을 보고
상대적 불행으로
자존감, 멘탈 배터리 방전되어
불만, 시기, 질투, 우울

▶ 6:52/21:00

자신 분야와 연결하여
홍보마케팅을 통해
수입 상승, 전문성 상승

▶ 6:52/21:00

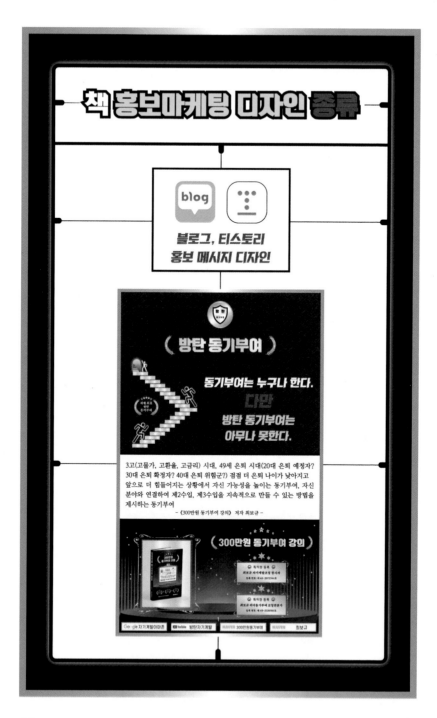

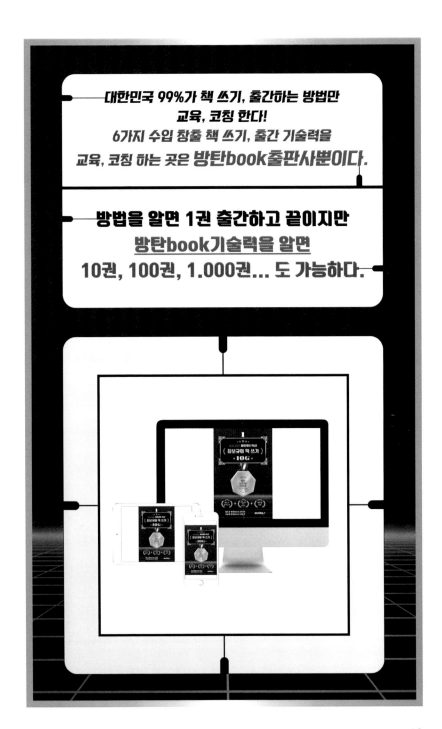

대한민국 99%가 책 쓰기, 출간하는 방법만
교육, 코칭 한다!
6가지 수입 창출 책 쓰기, 출간 기술력을
교육, 코칭 하는 곳은 방탄book출판사뿐이다.

방법을 알면 1권 출간하고 끝이지만
방탄book기술력을 알면
10권, 100권, 1.000권... 도 가능하다.

책 홍보마케팅에서 가장 효과가 좋은 것은 책 홍보영상을 제작하는 것이다. 전문가에게 의뢰를 하면 100만 원 ~ 1,000만 원 까지 발생한다. 대형 출판사들은 책 튜브(책을 리뷰하는 유튜버)에게 책 홍보영상 제작을 의뢰해서 홍보한다.

책 한 권 출간하고 말 거라면 홍보마케팅으로 지출되는 비용은 감수할 수 있을 것이다. 하지만 자신 분야와 연 결하여 6가지 수입을 창출할 수 있는 책 출간을 꾸준히 할 거라면 홍보영상 제작, 홍보디자인까지 해야 된다. 그래서 필자는 몇 백만 원, 몇 천만 원 들어가는 것을 망고보드에서 해결하고 있으며 책 홍보마케팅과 연관된 모든 디자인을 하고 있다. 망고보드 프로그램 마스터하면 모든 것이 끝난다.

유튜브에 책 홍보마케팅 영상 제작을 한번 하면 네이버 TV(영상, 숏츠), 카카오TV(영상, 숏츠), 인스타그램(영상, 숏츠), 페이스북(영상, 숏츠)에도 홍보를 할 수가 있다. 한번 제작하면 여러 가지 활용도가 많다는 것이다. 한번 제작해서 올려놓으면 100년 동안 홍보가 되는 것이다. 다음으로 나오는 출간 한 책을 홍보영상으로 제작했던 샘플들을 보면 느낌이 올 것이고 유튜브에 올라가 있는 실제 영상을 보면 더 감이 올 것이다.

유튜브 채널 이름 <방탄자기계발 방탄동기부여 최보규>

지금 우리에게는
강력한 동기부여가 필요하다!

지금 우리에게는
강력한 동기부여가 필요하다!
START

지금 자신 분야, 앞으로 자신 분야

동기부여 해줄 사람

3고 시대
고물가, 고금리, 고환율 어떻게 극복?

통계청 은퇴 나이 49세
20대 은퇴 예정자? 30대 은퇴 확정자? 40대 은퇴 위험군?

자신 분야 제2, 3수입
앞으로는 한분야 전문성으로 답이 없다!

어떻게 극복 할 것인가?

어떤 강의에서도 말하지 못한 동기부여!
어떤 강사도 말하지 못한 동기부여!
어떤 책에도 없는 동기부여!
어떤 영상에서도 볼 수 없는 내용의 동기부여!

대한민국 99%가 책 쓰기, 출간하는 방법만
교육, 코칭 한다!
6가지 수입 창출 책 쓰기, 출간 기술력을
교육, 코칭 하는 곳은 방탄book출판사뿐이다.

방법만 배우면 돈이 계속 나가지만
방탄book기술력을 배우면
돈은 계속 들어온다.

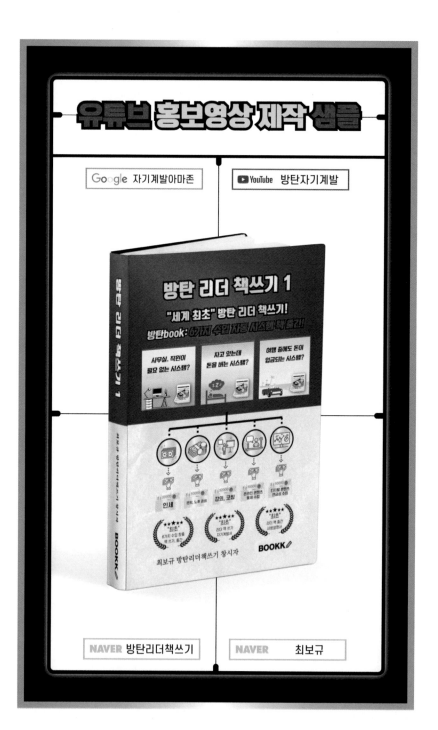

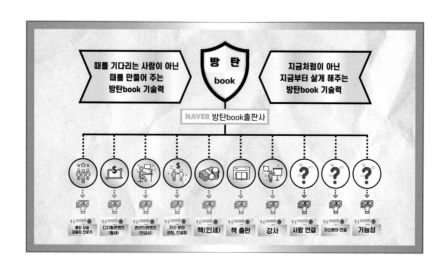

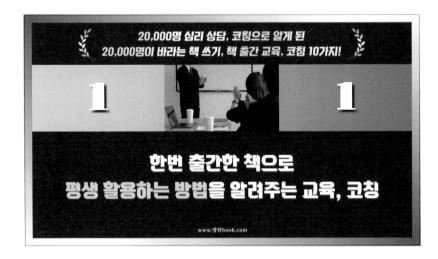

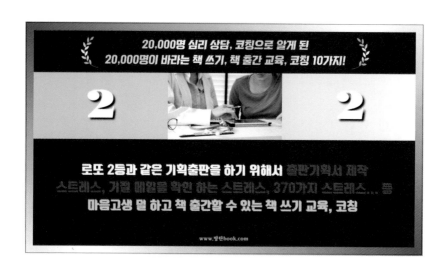

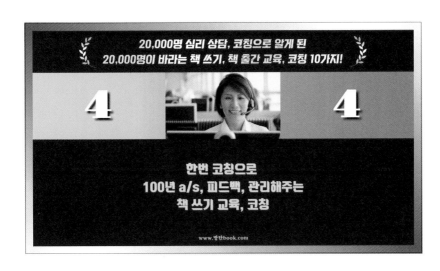

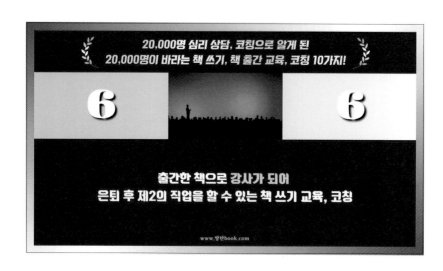

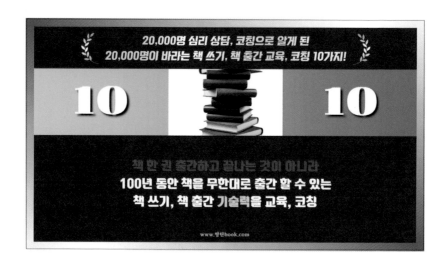

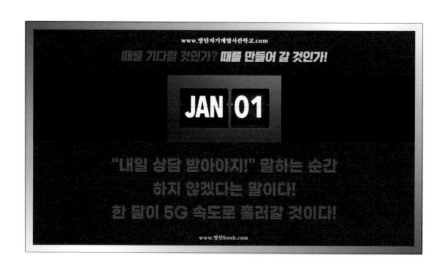

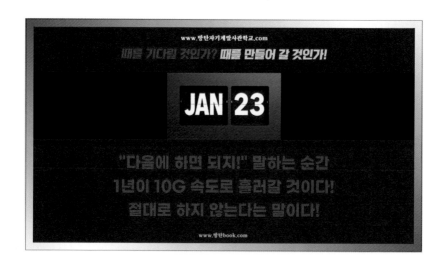

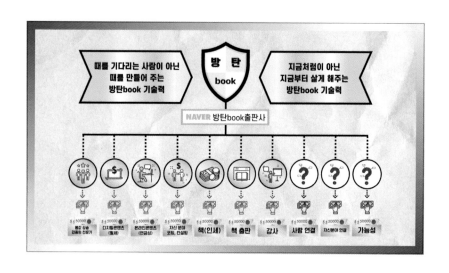

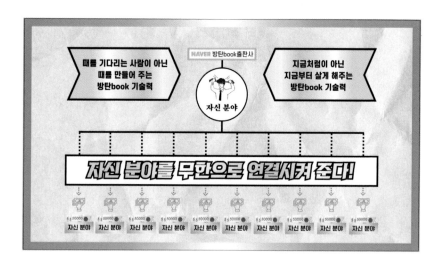

준비 되었나요?
가슴이 설레게 해주겠습니다!
가슴이 두근두근 거리게 해주겠습니다!

어디에 있든 그 곳이
변화, 성장, 배움, 행복의
시작점이다.

− 최보규 방탄book 창시자 −

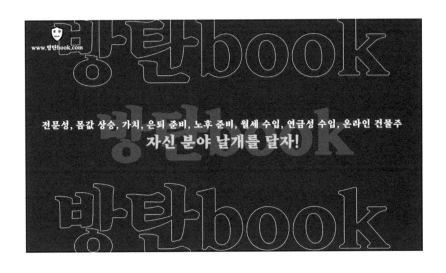

전문성, 몸값 상승, 가치, 은퇴 준비, 노후 준비, 월세 수입, 연금성 수입, 온라인 건물주
자신 분야 날개를 달자!

자신 전문 분야 메뉴얼, 체계적인 시스템이 머리에만 있으면 아마추어다.
자신 전문 분야 메뉴얼, 체계적인 시스템이 자료화(책 출간)되어 있다면 삼성이 검증된 전문가다!

자신 분야
삼성(진정성, 전문성, 신뢰성)UP

자신 가치 상승

몸값 상승

자신 분야 전문 서적이 있다고 몸값, 가치가 올라가는 건 아니다. 하지만 몸값을 올리고 자신 가치를 올리는 사람들 99%는 자신 분야 전문 서적이 있다는 것을 명심하자!

출간한 책으로 커리큘럼을 제작하여 비대면 시대가 와도 비수기 없이 온라인으로 수입을 올릴 수 있다.
시간, 장소 제약 없이 지속적으로 수입 창출을 할 수 있다.

온라인 콘텐츠 연결

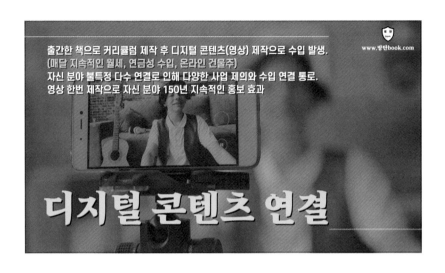

책을 출간 하면 자신 분야 코칭전문가 되어 은퇴 후(노후 준비) 부업으로도 수입을 올릴 수 있다. 세계 최초 책 출간과 코칭 양성까지 할 수 있는 곳은 방탄book 출판사 뿐이다.

제3의 직업 코칭

자신 분야 책 출간 과

시중에 있는 책 쓰기 교육(책 쓰기, 책 출간만 한다)과 차원이 다르다.

방탄book출판사

차별화가 아닌 초월이다!

6가지 수입 창출을 한 곳에서

최초! 한 곳에서 100년 활용하는 6가지 기술력을 전수한다!

책 출간으로 삼성 UP
(진정성, 전문성, 신뢰성)

제2의 직업
강사(강사료UP)
(은퇴, 노후 준비)

책 출간으로
몸 값 상승

방 탄
book

제3의 직업
코칭전문가
(은퇴, 노후 준비)

자신 분야
디지털 콘텐츠 연결

자신분야
온라인 콘텐츠 연결

방 탄
book

www.방탄book.com

차별이 아닌 초월 시스템

타사와 **비교불가** 초월 혜택으로
자신 분야 온라인 건물주 되어 **100년 수입 창출!**

이코노미 코칭	비지니스 코칭	퍼스트클래스 코칭

www.방탄book.com

차별이 아닌 초월 시스템

타사와 비교불가 초월 혜택으로 자신 분야 온라인 건물주 되어 100년 수입 창출!

이코노미 코칭	비지니스 코칭	퍼스트클래스 코칭

기본 5H, 10H ~ 52H l 500,000원~	기본 10H, 15H ~ 52H l 1,000,000원~	기본 15H, 20H ~ 52H l 3,000,000원~
CHECK POINT	CHECK POINT	CHECK POINT
☑ 책 쓰기, 책 출간 컨설팅 후 코칭(하)	☑ 책 쓰기, 책 출간 컨설팅 후 코칭(중)	☑ 책 쓰기, 책 출간 컨설팅 후 코칭(상)
☑ 6가지 수익 창출 컨설팅 후 코칭(하)	☑ 6가지 수익 창출 컨설팅 후 코칭(중)	☑ 6가지 수익 창출 컨설팅 후 코칭(상)
☑ 150년 A/S, 피드백, 관리	☑ 150년 A/S, 피드백, 관리	☑ 150년 A/S, 피드백, 관리

www.방탄book.com

특별 혜택

누구나 줄 수 있는 혜택이라면 절대로 방탄book을 선택하지 않았을 것이다!

150년 멘토

www.방탄book.com

**20,000명 상담, 코칭
자기계발서 150권 출간
381가지 습관 만듦
2,000권 독서**

삼성(진정성, 전문성, 신뢰성)이
검증 된 전문가가 우주 최강 책임
감 150년 a/s, 피드백, 관리 해준
다. 자자자멘습긍 케어까지 해
준다. (자존감, 자신감, 자기관리,
자기계발, 멘탈, 습관, 긍정)

www.방탄book.com

파트너 강사 임명

**방탄자기계발사관학교 전임 강사
자기계발아마존 전임 강사
방탄book 전속 작가
방탄코칭 전문가
대한민국 노벨상인
"최보규상" 프로젝트 연구원**

타이틀 5가지 자격 부여

www.방탄book.com
가슴이 두근두근 거리면 상담받을 기회!
가슴이 설레이면 코칭 받을 기회!

대한민국 99%가 책 쓰기, 출간하는 방법만
교육, 코칭 한다!
6가지 수입 창출 책 쓰기, 출간 기술력을
교육, 코칭 하는 곳은 방탄book출판사뿐이다.

방법만 배우면 평생
몸을 움직여서 돈을 벌어야 하지만
방탄book기술력을 배우면 움직이지
않아도 돈을 벌수 있는 자동 시스템을 만든다.

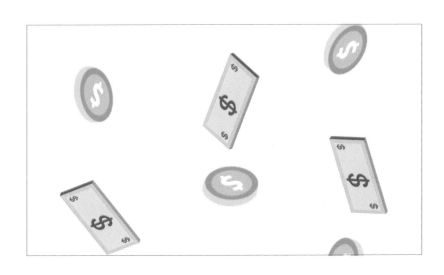

그런데 방법을 잘 모르겠다구?

그렇다면!

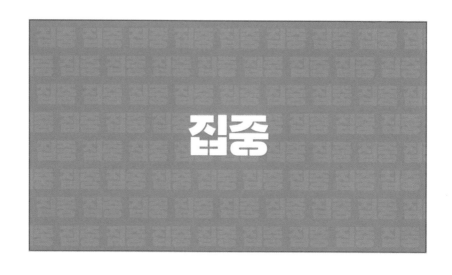

집중

여기

100년 수입 발생하는 책 테크

Q [방탄book]는 뭐하는 곳인가요?

A **방탄book**에서는 책 출간 후 3개월 뒤 활용 못하는 책 쓰기, 책 출간이 아닌
6가지 수입 창출 시스템과 연결할 수 있는 책 쓰기, **책 출간**을 합니다.

Q 전문 분야가 없어도 가능한가요?

A **맞춤 컨설팅 전문 분야 목표**, **방향**을 잡아 주고 자리 잡을 때까지 함께 합니다.
검증된 멘토가 150년 a/s, 관리, 피드백 해 줍니다.

삼성 UP

자신 분야 삼성을 높여
(진정성, 전문성, 신뢰성)
대체 불가능한 인재가 된다.

몸값 상승

자신 분야 검증된
전문가가 되어
몸값 상승한다.
강사라면 강사료가 상승

온라인 콘텐츠 연결

출간한 책으로
커리큘럼 제작 후
온라인 콘텐츠 연결하여
수입 발생

디지털 콘텐츠 연결

출간한 책으로
커리큘럼 제작 후
디지털 콘텐츠(영상) 제작으로
수입 발생(월세, 연금성 수입)

은퇴 준비

제2의 직업

출간한 책으로
강사 직업을 할 수 있다.
은퇴 후
직업으로도 가능하다.
(노후 준비 가능)

제3의 직업

출간한 책으로
코칭 전문가가 되어
코칭 수입을 올릴 수 있다.
평생 직업이 된다.
(노후 준비 가능)

노후 준비

당신만을 위한 책테크

방탄 book 책테크

사람이 바뀌려면
2톤(4,000권)의 책을
읽어야 하지만
방탄book 출판사에서는
책 1권 책 쓰기, 출간으로
인생이 바뀐다!

지금 상담

지금 인생, 내 분야, 변화하고 싶은데?
계기를 만들고 싶은데?
지금 이대로는 안되겠다고 생각만 하시죠?

지금처럼 살면 안 되는데...
지금부터 살아야 되는데...
때를 기다리면 안 되는데...
때를 만들어 가고 싶은데...

당신의 **자기계발 습관**은
어떠신가요?

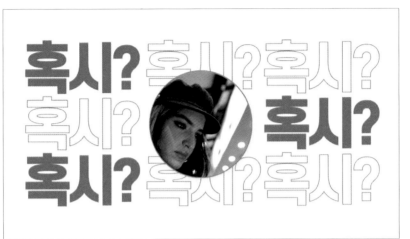

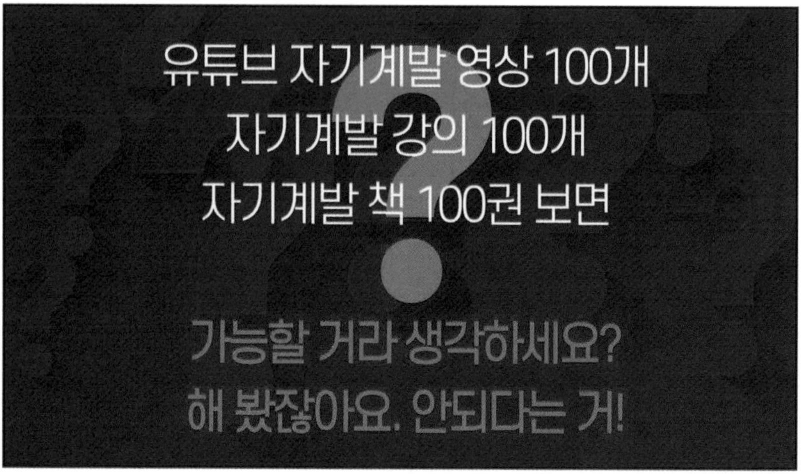

유튜브 자기계발 영상 100개
자기계발 강의 100개
자기계발 책 100권 보면

가능할 거라 생각하세요?
해 봤잖아요. 안되다는 거!

인생을 바꾸는 **방.탄.자.기.계.발.습.관**

기초부터 ────────────

자생능력: 스스로 할 수 있는 능력 ────────── **자생능력**이
생길 때까지

학습·연습·훈련

방탄자기계발

1:1 코칭 ————
한번 코칭, 정기구독으로
무한반복 학습.연습.훈련
세계 최초 150년 a/s, 피드백, 관리 시스템!

빠른 상담, 선택이 곧 **변화, 성장, 실력 차이!**

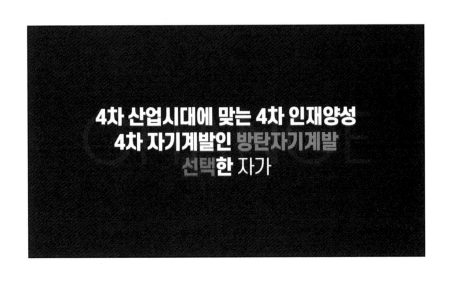

나다운 인생으로 바꾸는

나다운 인생으로 바꾸는
방탄자기계발 습관으로

나다운 인생으로 바꾸는
방탄자기계발 습관으로
바꾸고

나다운 인생으로 바꾸는
방탄자기계발 습관으로
바꾸고
싶다면

방탄행복사관교에서 방탄자기계발
정기구독, 1:1 코칭이 답이다!

방탄행복사관교에서 방탄자기계발
정기구독, 1:1 코칭이 답이다!

차별화가 아닌 초월 방탄자기계발 학습, 연습, 훈련

우주 최강 책임감!
'세계 최초' 150년 a/s, 피드백, 관리 시스템
인스턴트 인연이 아닌 손 뻗으면 닿는
몸, 머리, 마음 케어를 해주는 주치의가 되어 드립니다.

Only One 방탄자기계발 창시자

강한 사람, 우수한 사람이 살아남는 게 아니다.
시대에 맞게 변화하는 사람만 살아남는다.

기회는 오는 게 아니다
만들어 가는 것이다!

선택하 라!

때를 기다리는 사람
때를 만들어 가는 사람
당신 인생의 **주인공은**

바로

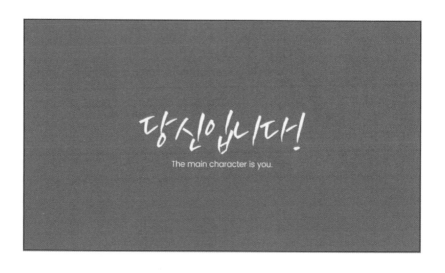

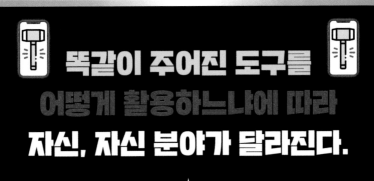

똑같이 주어진 도구를
어떻게 활용하느냐에 따라
자신, 자신 분야가 달라진다.

시간 때우는 도구!
SNS에 올라오는 쇼윈도 행복을 보고
상대적 불행으로
자존감, 멘탈 배터리 방전되어
불만, 시기, 질투, 우울

6:52/21:00

자신 분야와 연결하여
홍보마케팅을 통해
수입 상승, 전문성 상승

6:52/21:00

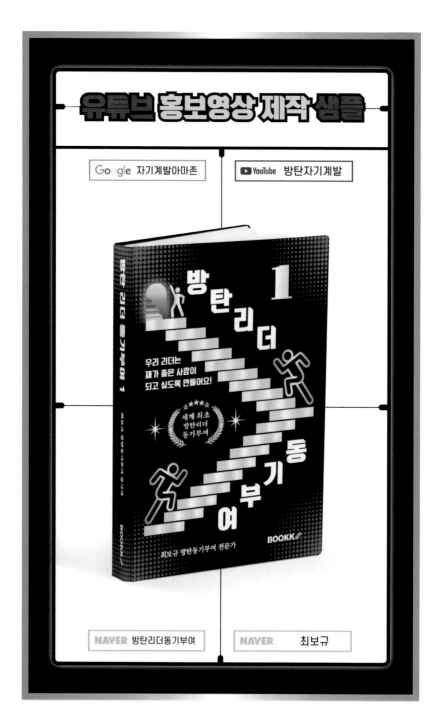

지금처럼 살것인가?
지금부터 살 것인가!

▶ 바로보기

20,000명 심리 상담, 코칭 하면서 알게 된 것은
많은 사람들이 비슷한 말을 한다는 것이다!

"지금처럼 살면 안 된다는 거 너무도 잘 아는데요..."
"변화해야 되는 거 아는데요..."
"성장 해야 되는 거 아는데요..."
"배워야 되는 거 아는데요... 돈 벌어야 되는 거 아는데요..."
"저도 하고 싶은데요... 동기부여가 안 돼요."

START

언제까지 동기부여 검증 안된 전문가 교육, 글, 책, 영상,...**만 보면서**
자신, 자신 분야 변화, 성장, 돈, 은퇴, 노후... 걱정, 고민만 할 것인가!
혼자하지 말고 함께하자!

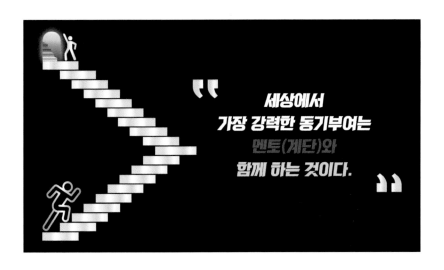

요즘 가장 핫한
동기부여, 자기계발 코칭

HOT

20,000명 심리 상담, 코칭으로 알게 된
사람들이 바라는 동기부여 교육, 코칭

Top 10

20,000명 심리 상담, 코칭으로 알게 된 사람들이 바라는 동기부여 교육, 코칭

Top 10

1위. 책임감을 가지고 100년 A/S, 피드백, 관리 (멘토)

2위. 고가여도 좋으니 값어치 하는 교육, 코칭

3위. 월세, 연금성 수입까지 창출하는 교육, 코칭

4위. 체계적인 시스템이 있는 교육, 코칭

5위. 바로 써먹을 수 있는 교육, 코칭

20,000명 심리 상담, 코칭으로 알게 된 사람들이 바라는 동기부여 교육, 코칭

Top 10

6위. 내 분야와 연결 시켜 시너지 효과(수입 연결)

7위. 은퇴, 노후 준비까지 되는 교육, 코칭

8위. 말만 전문가가 아닌 검증된 전문가

9위. 자리 잡을 때까지 케어해주는 교육, 코칭

10위. 인생 상담까지 해주는 교육, 코칭

절대로 방탄 리더 동기부여 책 읽지 마세요!
절대로 방탄자기계발사관학교 코칭 받지 마세요!

20,000명 심리 상담, 코칭으로 알게 된
사람들이 바라는 동기부여 교육, 코칭
TOP 10을 모두 하고 있기 때문에 절대로 교육, 코칭 받지 마세요!

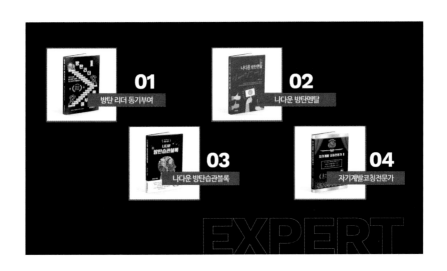

기댈 곳 / 가수 싸이
당신의 오늘 하루가 힘들진 않았나요
나의 하루는 그저 그랬어요
괜찮은 척하기가 혹시 힘들었나요
난 그저 그냥 버틸만했어요
솔직히 내 생각보다 세상은 독해요
솔직히 난 생각보다 강하진 못해요.
하지만 힘들다고 어리광 부릴 순 없어요.
버틸 거야 견딜 거야 괜찮을 거야
하지만 버틴다고 계속 버텨지지는 않네요
그래요 나 기댈 곳이 필요해요
그대여 나의 기댈 곳이 돼줘요

당신의 고된 하루를 누가 달래주나요
다독여달라고 해도 소용없어요
솔직히 난 세상보다 한참 부족해요
솔직히 난 세상만큼 차갑진 못해요
하지만 힘들다고 어리광 부릴 순 없어요
버틸 거야 견딜 거야 괜찮을 거야
하지만 버틴다고 계속 버텨지지는 않네요
그래요 나 기댈 곳이 필요해요
그대여 나의 기댈 곳이 돼줘요
항상 난 세상이 날 알아주길 바래
실은 나 세상이 날 안아주길 바래
괜찮은 척하지만 사는 게 맘 같지는 않네요
저마다의 웃음 뒤엔 아픔이 있어
하지만 아프다고 소리 내고 싶지는 않아요
그래요 나 기댈 곳이 필요해요
그대여 나의 기댈 곳이 돼줘요

당신의 기댈 곳이
되어 주겠습니다!
함께 합시다!

지금 **당장 상담**
받으세요!

삼성(진정성, 전문성, 신뢰성)이 검증된
최보규 방탄동기부여 전문가
강의, 교육, 코칭, 컨설팅 010-6578-8295

Google 자기계발아마존   ▶YouTube 방탄자기계발   NAVER 방탄리더동기부여   NAVER 최보규

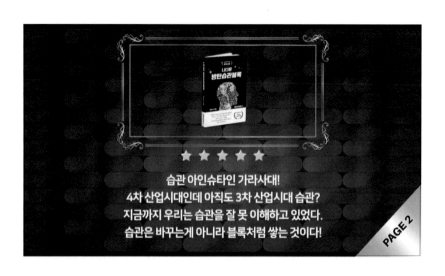

★★★★★

습관 아인슈타인 가라사대!
4차 산업시대인데 아직도 3차 산업시대 습관?
지금까지 우리는 습관을 잘 못 이해하고 있었다.
습관은 바꾸는게 아니라 블록처럼 쌓는 것이다!

PAGE 2

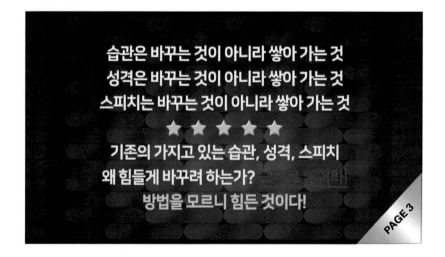

습관은 바꾸는 것이 아니라 쌓아 가는 것
성격은 바꾸는 것이 아니라 쌓아 가는 것
스피치는 바꾸는 것이 아니라 쌓아 가는 것

★★★★★

기존의 가지고 있는 습관, 성격, 스피치
왜 힘들게 바꾸려 하는가?
방법을 모르니 힘든 것이다!

PAGE 3

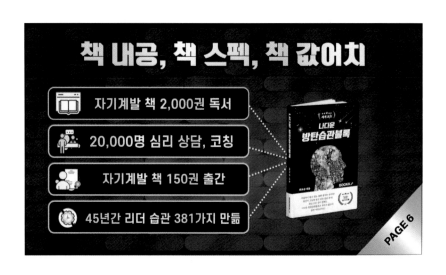

물리학계의 천재 아인슈타인 상대성이론 창시자

습관계의 천재 최보규
세계 최초 방탄습관블록 창시자!

물리학계의 천재 아인슈타인 상대성이론 창시자

습관계의 천재 최보규
세계 최초 방탄습관블록 창시자!

———— 방탄습관블록? ————

지금까지 알고 있는 습관 공식은 잊어라!

당신이 그토록 찾고 있던 습관 공식!

세상 모든 것이 변해도 나다운 방탄습관블록은 변하지 않는다.

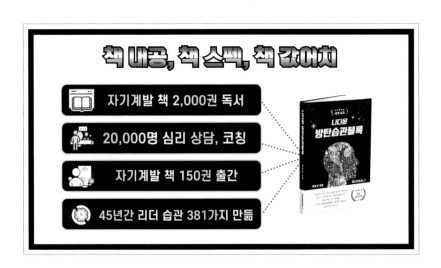

카레이서의 운전 습관이 중요한 것이 아니라
나다운 운전 습관 이 중요하다!

유명한 습관 공식은 잊어라!
나다운 방탄습관이 중요하다!

2장

나다운 몸 습관 블록 쌓기

몸 습관 블록 쌓기는
머리로 계산하지 않고 일단 시작해서
꾸준히 행동을 하는 것이다.

10만원을 1,000만원으로 만드는 습관

자기계발 책 1,000권, 유튜브 동기부여 영상 1,000개
보는 습관보다 효율적이고 시간을 단축시켜주는
세계 최고 자기계발, 동기부여 습관!

3장

나다운 머리 습관 블록 쌓기

머리 습관 블록 쌓기는 안 좋은 습관은 좋은 습관 보다 1,000배는 빠르게 쌓이기에
철저하게 계산해서 공식처럼 습관 블록을 쌓는 것이다.
머리 습관 블록 쌓기는 스펙이다! 학습, 연습, 훈련을 통해 쌓아 가는 것이다.
3혹(현혹, 유혹, 화혹) 되지 않는 습관 블록을 쌓기 위한 학습, 연습, 훈련

독수리가 되고 싶다면 독수리와 날기 위한 습관이 먼저다.

노오력 습관이 아닌 올바른 노력 습관

약자(을)로 살아남기 위한 습관

4장
나다운 마음(방탄멘탈)습관 블록 쌓기

마음 습관 블록 쌓기는
나 너가 아닌 우리, 함께를 위한
마음으로 쌓는 것이다.

나 하나쯤이야 습관! 나 하나라도 습관!

상위 10% 습관! 하위 10% 습관!

SNS 시대 뭘 해도 욕하는 현실 속에서 방탄멘탈 습관

사랑 습관

자존감이 낮은 사람은
자존감을 낮게 만드는 습관이 있다.
우울함이 있는 사람은 우울한 습관이 있다.
부정적인 사람은 부정의 습관이 있다.
긍정적인 사람은 긍정의 습관이 있다.
행복한 사람은 행복한 습관이 있다.

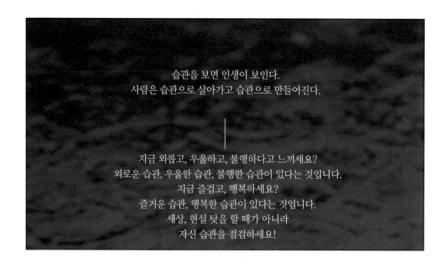

습관을 보면 인생이 보인다.
사람은 습관으로 살아가고 습관으로 만들어진다.

지금 외롭고, 우울하고, 불행하다고 느끼세요?
외로운 습관, 우울한 습관, 불행한 습관이 있다는 것입니다.
지금 즐겁고, 행복하세요?
즐거운 습관, 행복한 습관이 있다는 것입니다.
세상, 현실 탓을 할 때가 아니라
자신 습관을 점검하세요!

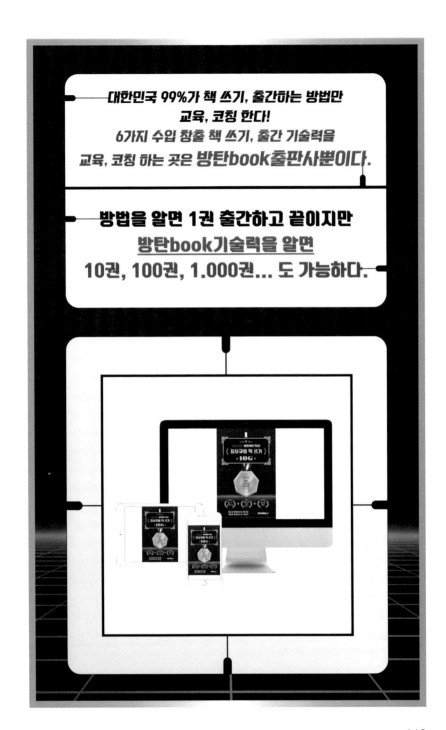

대한민국 99%가 책 쓰기, 출간하는 방법만
교육, 코칭 한다!
6가지 수입 창출 책 쓰기, 출간 기술력을
교육, 코칭 하는 곳은 방탄book출판사뿐이다.

방법을 알면 1권 출간하고 끝이지만
방탄book기술력을 알면
10권, 100권, 1.000권... 도 가능하다.

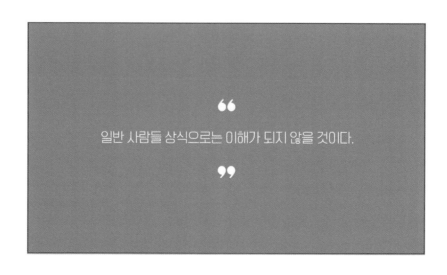

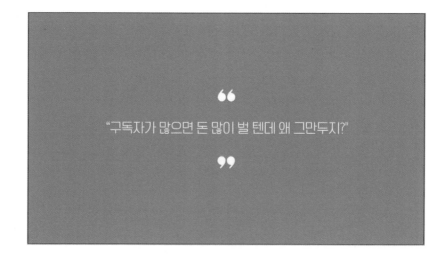

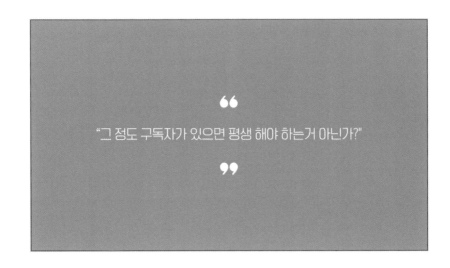

> "그 정도 구독자가 있으면 평생 해야 하는거 아닌가?"

20,000명
심리 상담, 코칭으로

나 튜 브

알게 된
유튜브 비밀!

▶️ YouTube　　리더는 **유튜브가 아니라** 나튜브　　▶️ ITube

저기요! 잠시만요! 무슨 자격으로
100만 명, 200만 명, 1,000만 명 구독자를 가지고 있는 유튜버도
말하지 못하는 것을 말한다는 거지? 말 할 수 있는 자격이 되는가?
근자감(근거 없는 자신감)은 어디서 나오는가?

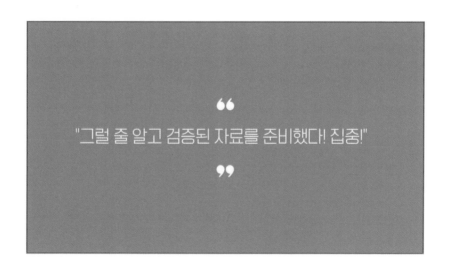

"그럴 줄 알고 검증된 자료를 준비했다! 집중!"

▶ YouTube ▶ ITube

"유튜브"라는 도구를
활용해서 결과를 만든 것

유튜브에서 200개~300개
제작한 영상으로 100권의
책을 출간 했다.

▶ YouTube ▶ ITube

"유튜브"라는 도구를
활용해서 결과를 만든 것

유튜브에서 200개~300개 제작한 영상으로 온라인, 디지털 콘텐츠 제작해서 재능 마켓에서(크몽, 탈잉, 클래스101, 클래스유, 인클, 유페이터)월세, 연금성 수입을 올리고 있다.

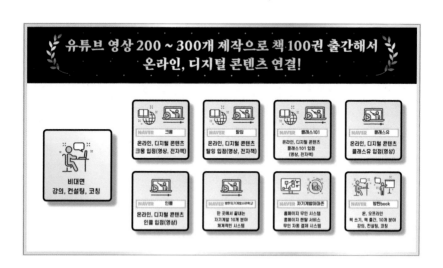

▶ YouTube ▶ ITube

"유튜브"라는 도구를
활용해서 결과를 만든 것

유튜브에서 200개~300개 제작한 영상으로 50층 온라인 건물을(온라인 건물주)만들어 앞으로 100년 월세, 연금성 수입이 발생하는 시스템을 만들었다.

온라인, 디지털 플랫폼	유튜브 영상 200 ~ 300개 제작으로 책 100권 출간하여 온라인, 디지털 콘텐츠 연결 시켜 50층 온라인 건물주!	
	온라인, 디지털 콘텐츠 수입 발생 (무인 시스템)	100년 월세, 연금 발생
자기계발아마존 1층 ~ 3층	온라인 건물주 되는 자격증 교재! 온라인 강사코칭전문가2급 온라인 자기계발코칭전문가2급 / 리더십코칭전문가2급 자존감, 연털, 습관, 행복, 사랑, 감사, 책쓰기, 유튜브, 리더십 10개 분야 코칭 / 영상 / 전자책	자격증, 재교육, 강사섭외 코칭, 종이책, 전자책 수입 발생
클래스유 4층	자신 분야 삼성(진정성, 전문성, 신뢰성)을 높여 제2수입, 3수입 올리는 방탄자기계발 재테크 / 영상	영상, 자격증, 강사섭외, 코칭 종이책, 전자책 수입 발생
클래스101 5층 ~ 15층	강사 분야, 사랑 분야, 습관 분야, 자존감 분야 행복 분야, 자기계발 분야 영상 원포인트 클래스 / 전자책	영상, 강사섭외, 코칭 종이책, 전자책 수입 발생
크몽 16층 ~ 22층	강사 분야, 사랑 분야, 습관 분야 자존감 분야, 행복 분야, 자기계발 분야 영상 / 코칭 / 전자책	영상, 자격증, 강사섭외, 코칭 종이책, 전자책 수입 발생
탈잉 23층 ~ 25층	자존감 분야, 습관 분야, 행복 분야 영상 / 전자책	강사섭외, 코칭 종이책, 전자책 수입 발생
인클 26층	4차 산업시대는 4차 자기계발인 방탄자기계발 재테크 / 영상	영상, 자격증, 강사섭외, 코칭 종이책, 전자책 수입 발생
온라인 서점, 디지털 서점 27층 ~ 50층	출간 한 31권 자기계발서 종이책 / 전자책	김종환 전문가 강사료 10배 상승

▶ YouTube ▶ ITube

"유튜브"라는 도구를 활용해서 결과를 만든 것

유튜브에서 200개~300개 제작한 영상으로 책 100권을 출간해서 삼성(진정성, 전문성, 신뢰성) 검증된 강사가 되어 강사료가 10배 상승, 전문 분야 몸값, 가치, 값어치가 1,000배 상승 했다.

172

리더라면 집중!

리더 자신 분야 삼성(진정성, 전문성, 신뢰성)을 몰러 제2수입, 제3수입을
발생시켜 은퇴 후 노후 준비까지 할 수 있는 리더유튜브 자기계발!

자신 분야 삼성UP
(진정성, 전문성, 신뢰성)

월세, 연금성 수입 발생
(온라인 건물주)

4차 산업시대에 맞는
4차 인재 양성 시스템

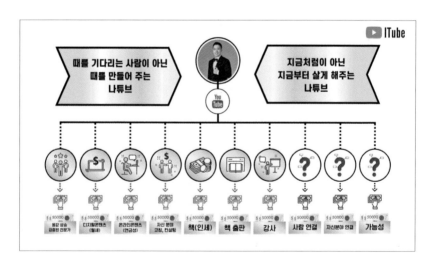

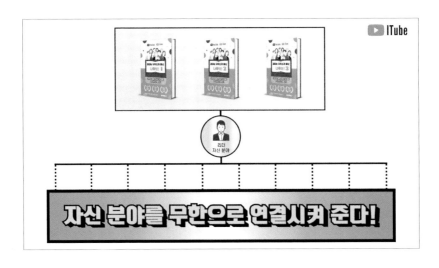

《리더는 유튜브가 아닌 나튜브 2》에서는 리더 유튜브 자기계발 원리를 먼저 학습하고 리더 유튜버에게 맞는 4가지 리더 자기계발을 통해 리더 자신, 리더 자신 분야, 가족, 팀원, 조직체원들의 배움, 비전, 변화, 성장, 가치, 자기계발, 수입을 올리는 방법을 배울 것이다.

《리더는 유튜브가 아닌 나튜브 3》에서는 리더 유튜버에게 가장 중요한 스펙인 인재 양성 코칭 매뉴얼, 시스템을 만들 수 있는 방법을 배울 것이다.

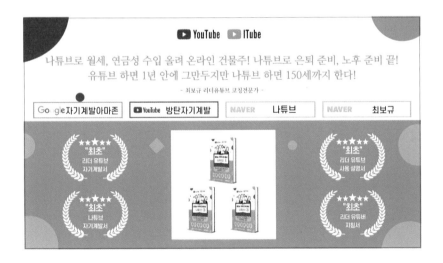

지금처럼 살 것인가
지금부터 살 것인가

때를 기다릴 것인가
때를 만들어 갈 것인가

누군가는 출간한 책이 냄비 받침대가 되어가고 누군가는 출간한 책이 인생 디딤돌이 되어간다.

어떤 사람? 당신의 선택은?

OOO책 쓰기, 책 출간 교육받고 책 출간했는데 3개월 지나니 별거 없다. 책 쓰는 방법만 배우니 출간한 책이 냄비 받침대 되어 간다... 출간 한 책을 활용할 수 있는 방법은 없나? 출간한 책이 너무 아깝다. 책이 죽어가요! 누가 좀 도와주세요!

방탄book기술력 코칭 받고 책 출간으로 내 분야와 연결하여 지속적인 홍보마케팅이 되어 수입이 지속적으로 발생하고 나이들어도 계속할 수 있는 기술력을 만들 수 있어서 너무 감사합니다. 방탄book기술력은 인생에 디딤돌입니다.

포노 사피엔스 시대!(스마트폰 시대)
4차 산업 시대! AI 시대! SNS 시대!

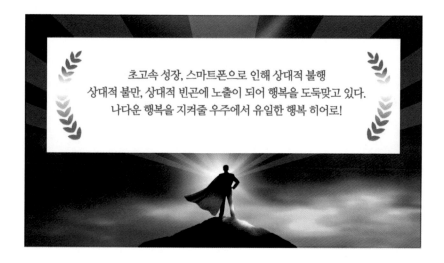

초고속 성장, 스마트폰으로 인해 상대적 불행
상대적 불만, 상대적 빈곤에 노출이 되어 행복을 도둑맞고 있다.
나다운 행복을 지켜줄 우주에서 유일한 행복 히어로!

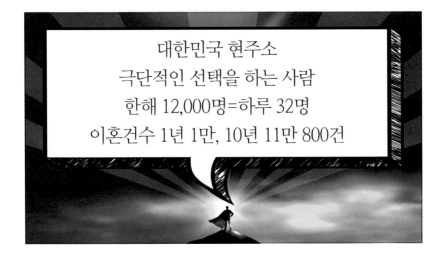

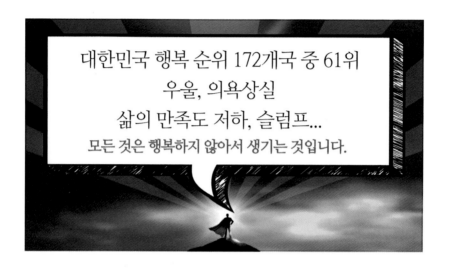

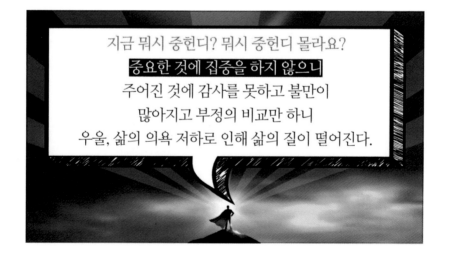

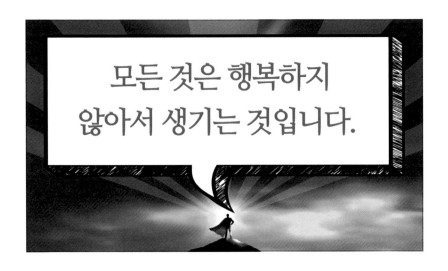

모든 것은 행복하지
않아서 생기는 것입니다.

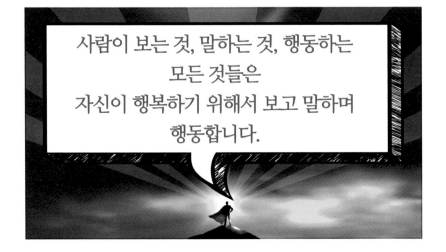

사람이 보는 것, 말하는 것, 행동하는
모든 것들은
자신이 행복하기 위해서 보고 말하며
행동합니다.

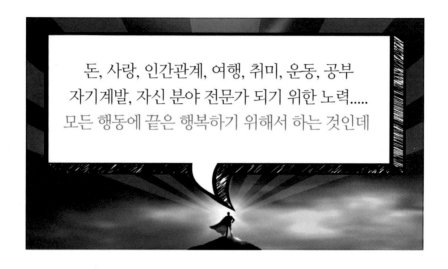

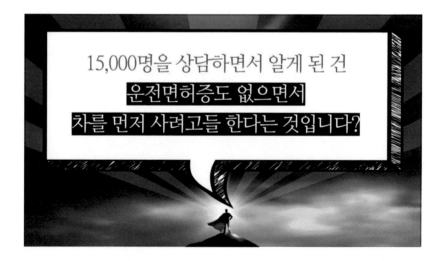

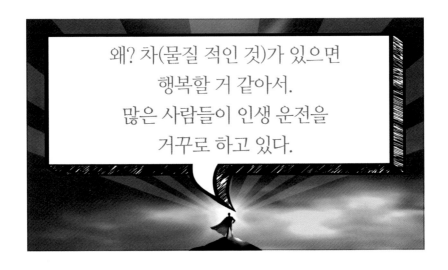

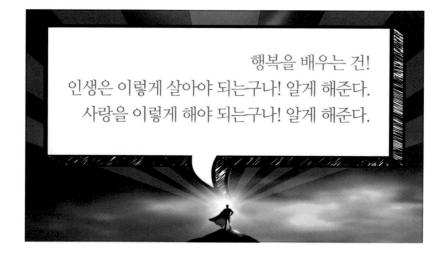

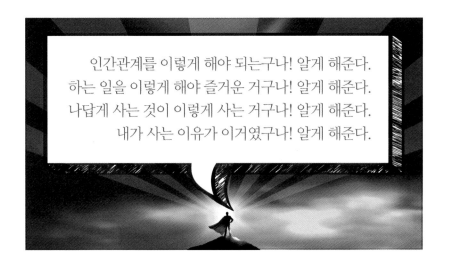

인간관계를 이렇게 해야 되는구나! 알게 해준다.
하는 일을 이렇게 해야 즐거운 거구나! 알게 해준다.
나답게 사는 것이 이렇게 사는 거구나! 알게 해준다.
내가 사는 이유가 이거였구나! 알게 해준다.

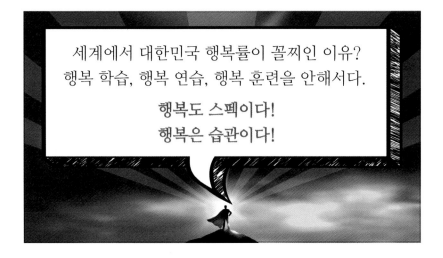

세계에서 대한민국 행복률이 꼴찌인 이유?
행복 학습, 행복 연습, 행복 훈련을 안해서다.

행복도 스펙이다!
행복은 습관이다!

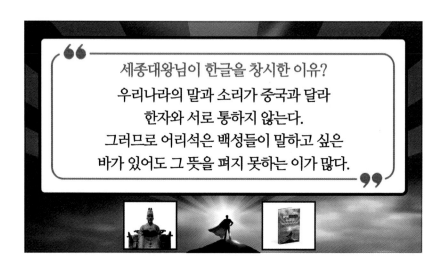

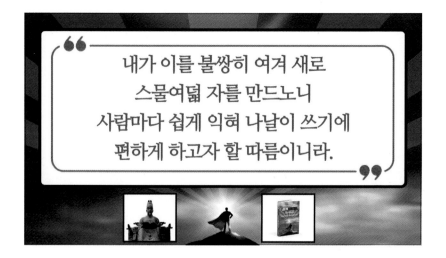

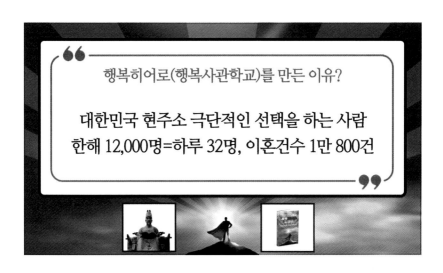

행복히어로(행복사관학교)를 만든 이유?

대한민국 현주소 극단적인 선택을 하는 사람
한해 12,000명=하루 32명, 이혼건수 1만 800건

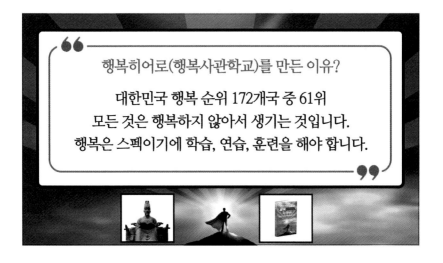

행복히어로(행복사관학교)를 만든 이유?

대한민국 행복 순위 172개국 중 61위
모든 것은 행복하지 않아서 생기는 것입니다.
행복은 스펙이기에 학습, 연습, 훈련을 해야 합니다.

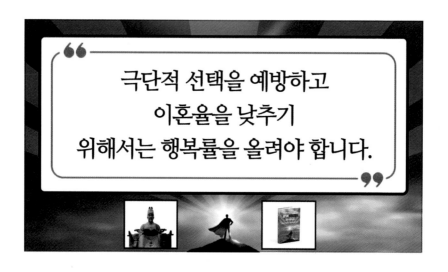

극단적 선택을 예방하고
이혼율을 낮추기
위해서는 행복률을 올려야 합니다.

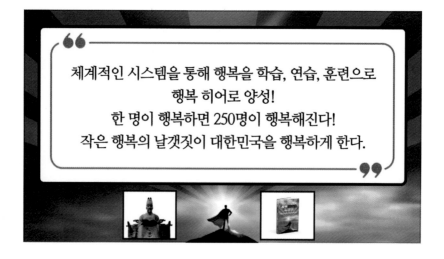

체계적인 시스템을 통해 행복을 학습, 연습, 훈련으로
행복 히어로 양성!
한 명이 행복하면 250명이 행복해진다!
작은 행복의 날갯짓이 대한민국을 행복하게 한다.

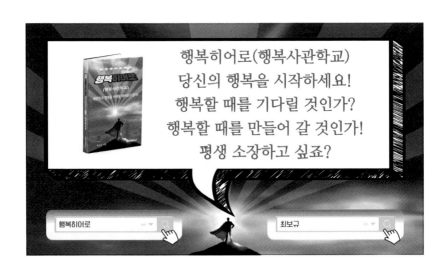

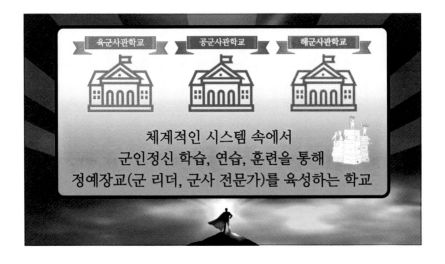

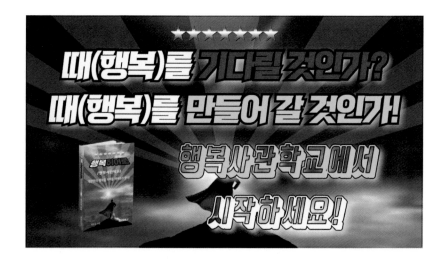

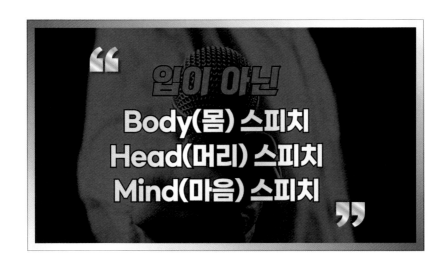

CHANGE

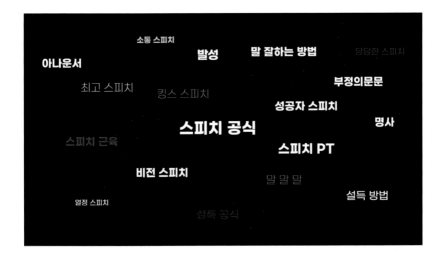

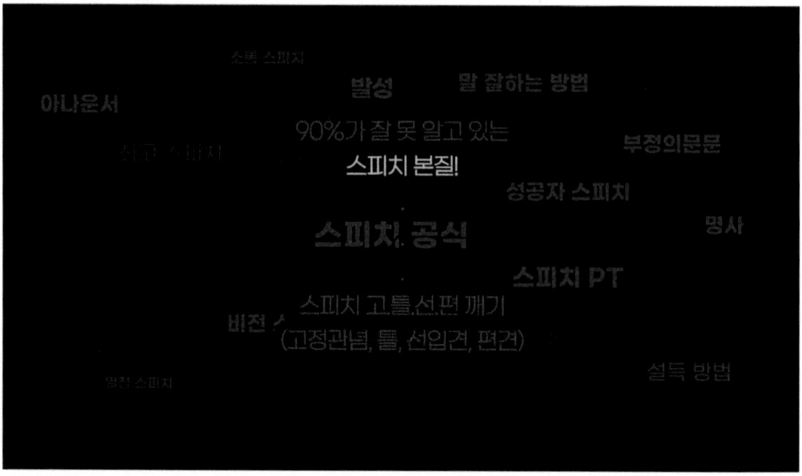

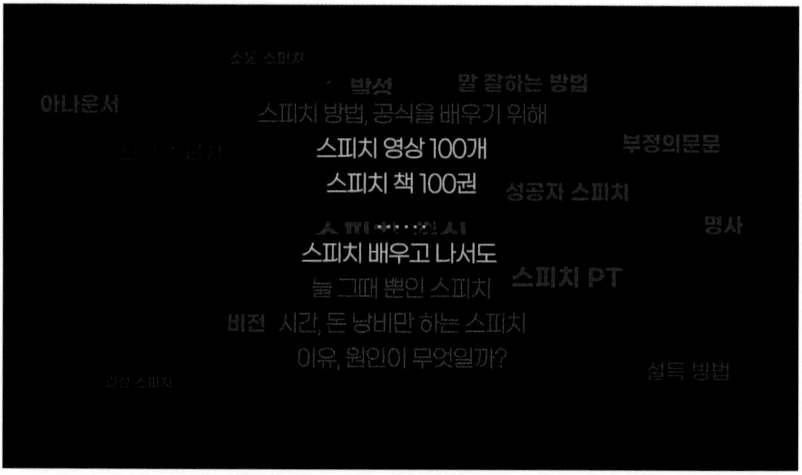

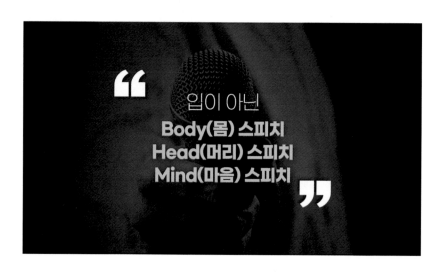

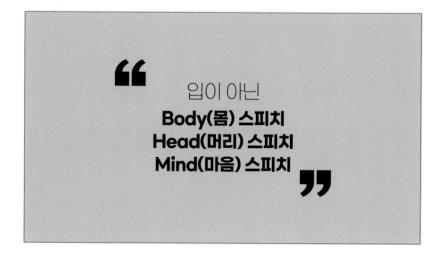

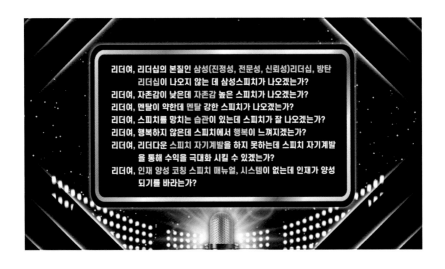

리더여, 리더십의 본질인 삼성(진정성, 전문성, 신뢰성)리더십, 방탄
리더십이 나오지 않는 데 삼성스피치가 나오겠는가?
리더여, 자존감이 낮은데 자존감 높은 스피치가 나오겠는가?
리더여, 멘탈이 약한데 멘탈 강한 스피치가 나오겠는가?
리더여, 스피치를 망치는 습관이 있는데 스피치가 잘 나오겠는가?
리더여, 행복하지 않은데 스피치에서 행복이 느껴지겠는가?
리더여, 리더다운 스피치 자기계발을 하지 못하는데 스피치 자기계발
을 통해 수익을 극대화 시킬 수 있겠는가?
리더여, 인재 양성 코칭 스피치 매뉴얼, 시스템이 없는데 인재가 양성
되기를 바라는가?

잘난 스피치를 하는 리더가 아니라 진실한 스피치
를 하는 리더! 잘난 스피치를 하는 리더는 피하고
싶어지지만 진실한 스피치를 하는 리더는 곁에 두
고 싶어진다.

대단한 스피치를 하는 리더가 아니라 좋은 스피치를 하는 리더! 대단한 스피치를 하는 리더는 부담을 주지만 좋은 스피치를 하는 리더는 행복을 준다.

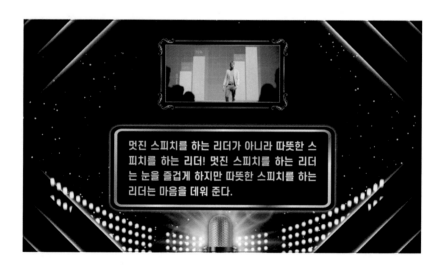

멋진 스피치를 하는 리더가 아니라 따뜻한 스피치를 하는 리더! 멋진 스피치를 하는 리더는 눈을 즐겁게 하지만 따뜻한 스피치를 하는 리더는 마음을 데워 준다.

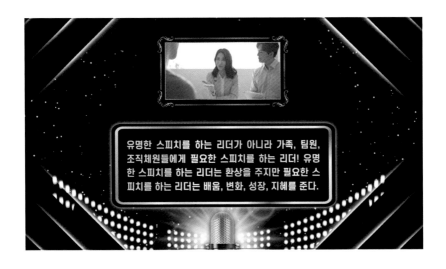

유명한 스피치를 하는 리더가 아니라 가족, 팀원, 조직체원들에게 필요한 스피치를 하는 리더! 유명한 스피치를 하는 리더는 환상을 주지만 필요한 스피치를 하는 리더는 배움, 변화, 성장, 지혜를 준다.

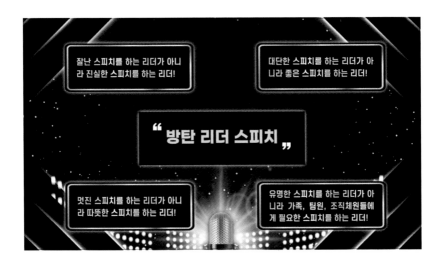

잘난 스피치를 하는 리더가 아니라 진실한 스피치를 하는 리더!

대단한 스피치를 하는 리더가 아니라 좋은 스피치를 하는 리더!

"방탄 리더 스피치"

멋진 스피치를 하는 리더가 아니라 따뜻한 스피치를 하는 리더!

유명한 스피치를 하는 리더가 아니라 가족, 팀원, 조직체원들에게 필요한 스피치를 하는 리더!

초이스

방탄 리더 스피치 초이스 진짜 잘했다

방탄 리더 스피치! 내공, 가치, 값어치!

1. 20,000명 심리 상담, 코칭으로 알게 된 방탄 리더 스피치!
2. 7G 직업(출판사 대표, 작가, 심리 상담사, 코칭 전문가, 강사, 유튜버, 한집의 가장)을 통해 알게 된 방탄 리더 스피치!
3. 2,000권 독서로 알게 된 방탄 리더 스피치!
4. 7,000개 메모로 알게 된 방탄 리더 스피치!
5. 자기계발서 150권 출간으로 알게 된 방탄 리더 스피치!
6. 온라인 콘텐츠, 디지털 콘텐츠 제작으로 50층 온라인 건물주 되어 알게 된 방탄 리더 스피치!
7. 강의 6,000회 경력으로 알게 된 방탄 리더 스피치!
8. 45년간 습관 381가지 만들면서 알게 된 방탄 리더 스피치!
9. 강사 15년, 유튜버 5년 하면서 알게 된 방탄 리더 스피치!

삼성 스피치 UP
(진정성, 전문성, 신뢰성)

삼성 스피치 UP
(진정성, 전문성, 신뢰성)

삼성 스피치 UP
(진정성, 전문성, 신뢰성)

삼성 스피치 UP
(진정성, 전문성, 신뢰성)

삼성 스피치 UP
(진정성, 전문성, 신뢰성)

삼성 스피치 UP
(진정성, 전문성, 신뢰성)

삼성 스피치 UP
(진정성, 전문성, 신뢰성)

삼성 스피치 UP
(진정성, 전문성, 신뢰성)

삼성 스피치 UP
(진정성, 전문성, 신뢰성)

진 정 성 , 전 문 성 , 신 뢰 성

삼성 스피치 UP

스피치 자존감 UP   스피치 자존감 UP   스피치 자존감 UP

스피치 자존감 UP   스피치 자존감 UP   스피치 자존감 UP

스피치 자존감 UP   스피치 자존감 UP   스피치 자존감 UP

스피치 멘탈 UP   스피치 멘탈 UP   스피치 멘탈 UP

스피치 멘탈 UP   스피치 멘탈 UP   스피치 멘탈 UP

스피치 멘탈 UP   스피치 멘탈 UP   스피치 멘탈 UP

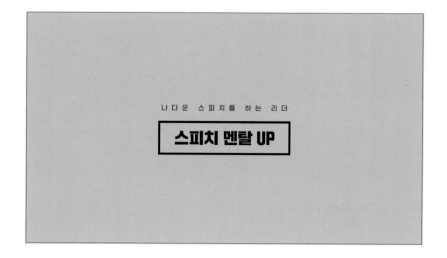

나 다 운 스 피 치 를 하 는 리 더

스피치 멘탈 UP

ス피치 습관 UP   스피치 습관 UP   스피치 습관 UP

스피치 습관 UP   스피치 습관 UP   스피치 습관 UP

스피치 습관 UP   스피치 습관 UP   스피치 습관 UP

열정 스피치를 하는 리더

스피치 습관 UP

스피치 자기계발 UP 스피치 자기계발 UP 스피치 자기계발 UP

스피치 자기계발 UP 스피치 자기계발 UP 스피치 자기계발 UP

스피치 자기계발 UP 스피치 자기계발 UP 스피치 자기계발 UP

인재 양성 코칭 스피치 UP   인재 양성 코칭 스피치 UP   인재 양성 코칭 스피치 UP

인재 양성 코칭 스피치 UP   인재 양성 코칭 스피치 UP   인재 양성 코칭 스피치 UP

인재 양성 코칭 스피치 UP   인재 양성 코칭 스피치 UP   인재 양성 코칭 스피치 UP

인 재 양 성 코 칭 매 뉴 얼 , 시 스 템

인재 양성 코칭 스피치 UP

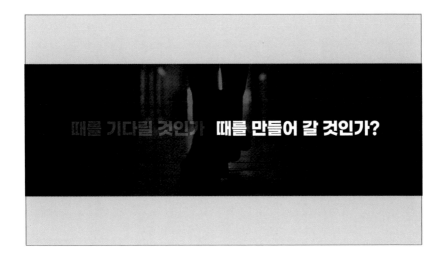

대한민국 99%가 책 쓰기, 출간하는 방법만
교육, 코칭 한다!
6가지 수입 창출 책 쓰기, 출간 기술력을
교육, 코칭 하는 곳은 방탄book출판사뿐이다.

방법만 배우면 돈이 계속 나가지만
방탄book기술력을 배우면
돈은 계속 들어온다.

감정컨트롤 식스펙!

5년간 서울에서 77% 급증한 병원?

정신건강의학과

정신건강의학과

스트레스, 우울, 리더십, 돈, 미래 불안...

오늘 하루는 또 어떻게 버티지?

SNS 속 사람들 다 행복해 보이는데...

나만 힘들고 나만 불행 한거 같아...

리더다 보니 누구에게 하소연도 못하고...
힘들고 우울한 감정을 어떻게 컨트롤 할까?

무력해진 리더님의 마음, 감정들
컨트롤 할 수 있습니다!

최보규 리더감정컨트롤 전문가가 _____ 찾을 수 있도록 도와드리겠습니다.

최보규 리더감정컨트롤 전문가가 <u>리더의 웃음을</u> 찾을 수 있도록 도와드리겠습니다.

20,000명 심리 상담, 코칭으로 알게 된 리더 감정컨트롤 7단계

리더가 감정컨트롤이 안 되면 인재가 떠나고 회사가 망한다!

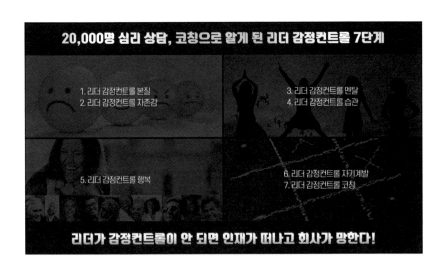

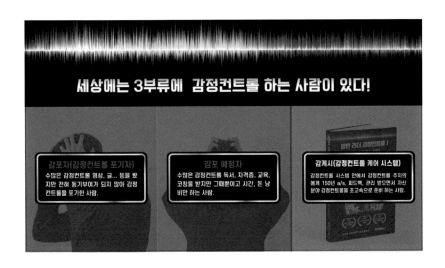

세상에는 3부류에 감정컨트롤 하는 사람이 있다!

감포자(감정컨트롤 포기자)
수많은 감정컨트롤 영상, 글... 등을 봤지만 전혀 동기부여가 되지 않아 감정컨트롤을 포기한 사람.

감포 예정자
수많은 감정컨트롤 독서, 자격증, 교육, 코칭을 받지만 그때뿐이고 시간, 돈 낭비만 하는 사람.

감케시(감정컨트롤 케어 시스템)
감정컨트롤 시스템 안에서 감정컨트롤 주치의에게 150년 a/s, 피드백, 관리 받으면서 자신 분야 감정컨트롤을 초고속으로 준비 하는 사람.

가족, 팀원, 조직체원들의
감정은 리더 감정컨트롤에 달렸다.

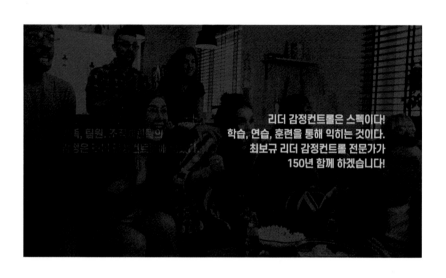

리더 감정컨트롤은 스펙이다!
학습, 연습, 훈련을 통해 익히는 것이다.
최보규 리더 감정컨트롤 전문가가
150년 함께 하겠습니다!

어떤 사람도 말하지 못한 방탄 리더 감정컨트롤!
어떤 영상에서도 말하지 못한 방탄 리더 감정컨트롤!
어떤 책에서도 말하지 못한 방탄 리더 감정컨트롤!

Google 자기계발아마존   YouTube 방탄자기계발   NAVER 방탄리더감정컨트롤   NAVER 최보규

대한민국 99%가 책 쓰기, 출간하는 방법만
교육, 코칭 한다!
6가지 수입 창출 책 쓰기, 출간 기술력을
교육, 코칭 하는 곳은 방탄book출판사뿐이다.

방법만 배우면 평생
몸을 움직여서 돈을 벌어야 하지만
방탄book기술력을 배우면 움직이지
않아도 돈을 벌수 있는 자동 시스템을 만든다.

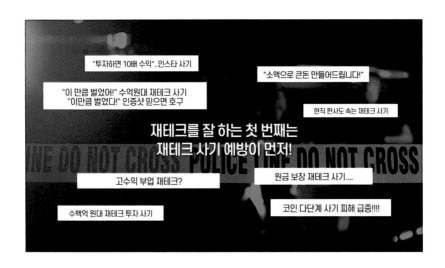

한해 250.000건
하루 684건 발생

- 대검찰청 2017년 범죄분석 -

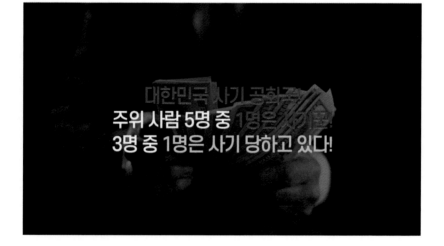

주위 사람 5명 중 1명은 사기꾼!
3명 중 1명은 사기 당하고 있다!

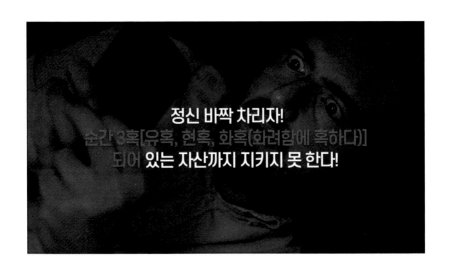

정신 바짝 차리자!
순간 3혹[유혹, 현혹, 화혹(화려함에 혹하다)]
되어 있는 자산까지 지키지 못 한다!

집중!
20,000명 심리 상담, 코칭을 통해 알게 된
재테크 사기 예방법과
세상에서 가장 리스크 적은 재테크
세상에서 가장 안전한 재테크를 소개한다!

01
재테크 사기 예방!

시중 금리 보다 높은 수익률!
300% 사기다!

02
재테크 사기 예방!

원금 보장! 500% 사기다!

03
재테크 사기 예방!

수입 인증 사진! 1,000% 사기다!
수입 인증 사진이 다 사기는 아니지만
사기꾼들은 100% 수입 인증을 한다!

04
재테크 사기 예방!

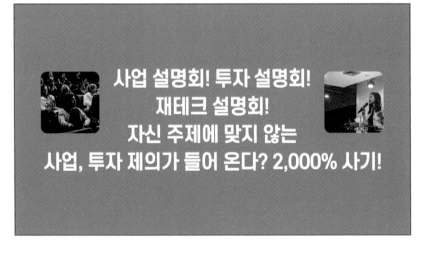

사업 설명회! 투자 설명회!
재테크 설명회!
자신 주제에 맞지 않는
사업, 투자 제의가 들어 온다? 2,000% 사기!

05
재테크 사기 예방!

한방, 대박, 단기간에... 돈 번다!
가족, 지인, 친구... 믿음이 있는
사람들이 투자 권유... 권유 하는 사람도
사기 당하고 있다는 것을 모른다!

재테크 사기가 판을 치는 상황에서
재테크 사기로 부터 자산을 지키고
도대체 어떤 재테크를 해야 하는가?

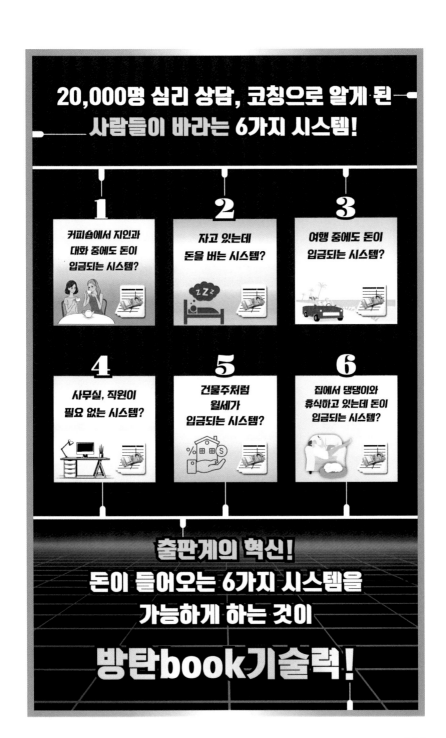

평균 희망 은퇴 73세, 현실 은퇴 나이 49세!
100세 시대 언제까지 몸(노동)으로만
일해서 돈을 벌 것인가?

세상, 현실 기준에서 스펙, 돈, 인맥, 자산 등이 없어서 100세까지 노동을 해야 되고 몸까지 아프면 더 답이 없는 상황! 젊을 때는 100가지 중 99가지를 할 수 있지만 나이 들면 100가지 중 99가지를 할 수 없다. 3고 시대, AI 시대, 챗 GPT 시대에 자신의 직업이 사라 질 수 있는 상황에서 어떻게 준비, 대비할 것인가?

 방탄BOOK기술력
선택이 아닌 필수!

한 분야 전문성으로 힘든 시대다. 이제는 포트폴리오 커리어 시대다. (포트폴리오 커리어: 한 분야 전문성 외 다수에 전문성이 있는 사람) 자신 경력을 왜 썩히고 있는가! 자신 경력을 활용해서 6가지 수입을 발생시킬 수 있는 방탄book기술력! 언제까지 몸(노동)으로 일할 것인가? 자신 경력이 일하게 하자! 자신 콘텐츠가 일하게 하자! 시스템이 일하게 하자!

★ ★ ★ ★ ★
직장은 자신 인생을 책임져 주지 않지만
방탄book기술력은 자신 인생을 책임져 준다.
직장은 자신을 배신하지만
방탄book기술력은 자신을 배신하지 않는다.

ONLY ONE

방탄
BOOK
기술력

3 고시대
생활백서

지금 당근이 필요한가? 채찍이 필요한가?

사람에 치이고 **일**에 치이고 직장이 인생 책임져 주지 않는다!
언제까지 다녀야 되고 언제까지 다닐지 모르는 현실!

<통계청> 평균 은퇴 나이 49세 은퇴 나이 더 낮아진다!
20대 은퇴 예정자? 30대 은퇴 확정자? 40대 은퇴 위험군?

247

나이와 상관없이 100% 해당되는 은퇴 현실!

무언가 해야 될 거 같은데? 무엇을 어떻게 해야 되지?

누가 정답을 알려주면 좋겠다고 생각할때

작은 도움이 되기를 바라며 이 영상을 전합니다

리더 은퇴 골든타임

01

직장인이 아닌 직업인이 되어야 한다!

일 끝나고
기술력 연마!

직장은 자신을 배신하지만
직업(기술력)은 배신하지 않는다.
직장을 다니는 환경 속에서 자신이 할 수 있는
직업(기술력)을 연마하기 위한 환경으로 들어가야 한다.

02

자신 분야와 연결시킬 수 있는 직업(기술력)

시간은 금이고 자신 경력은 다이아몬드다!
자신 분야 경력을 최대한 살릴 수 있는
기술력을 연결 시켜야 한다!

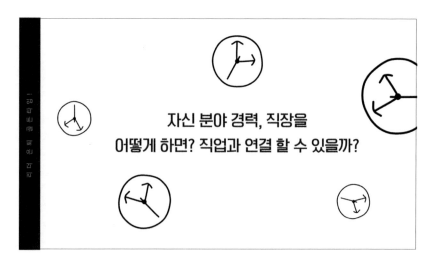

자신 분야 경력, 직장을
어떻게 하면? 직업과 연결 할 수 있을까?

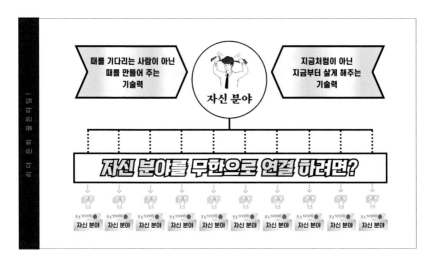

03
노오력이 아닌 올바른 노력

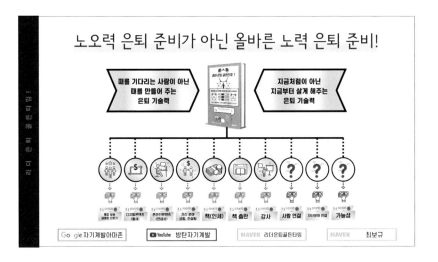

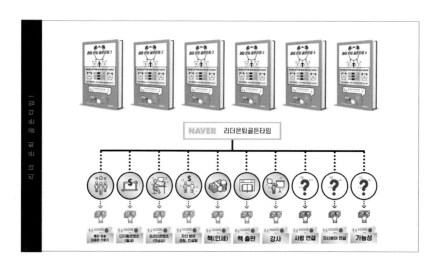

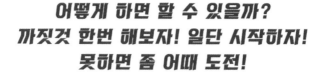

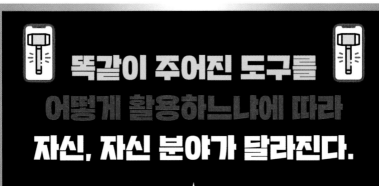

똑같이 주어진 도구를
어떻게 활용하느냐에 따라
자신, 자신 분야가 달라진다.

시간 때우는 도구!
SNS에 올라오는 쇼윈도 행복을 보고
상대적 불행으로
자존감, 멘탈 배터리 방전되어
불만, 시기, 질투, 우울

6:52/21:00

**자신 분야와 연결하여
홍보마케팅을 통해
수입 상승, 전문성 상승**

6:52/21:00

257

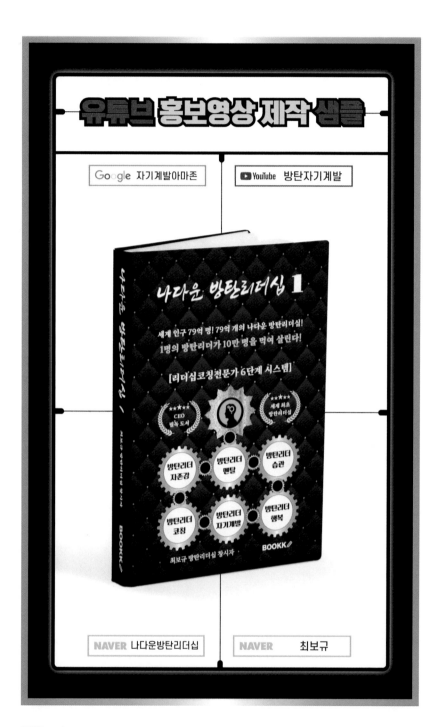

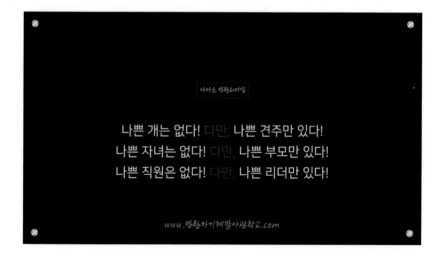

나라운 방탄리더십

리더 1명이 10만 명을 변질시킨다.
방탄리더 1명이 10만 명을 변화시킨다.

www.방탄자기계발사관학교.com

나라운 방탄리더십

나쁜 개는 없다! 다만, 나쁜 견주만 있다!
나쁜 자녀는 없다! 다만, 나쁜 부모만 있다!
나쁜 직원은 없다! 다만, 나쁜 리더만 있다!

www.방탄자기계발사관학교.com

견주십, 부모십, 리더십, 사랑십, 인간관계십, 친구십...등
모든 십의 기본(자동차 연료)은
자존감, 멘탈, 습관, 행복, 자기계발이 받쳐주지 않으면 안 된다.

www.방탄자기계발사관학교.com

위치가 사람을 만든다?
단언컨대! 나잇값, 위치값, 리더값을 하기 위해
학습, 연습, 훈련 하지 않으면 위치가 사람을 망친다!

www.방탄자기계발사관학교.com

261

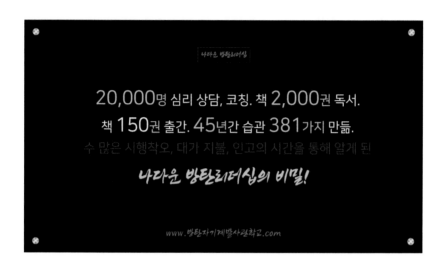

CONTENTS

방탄리더십 6단계 시스템

www.방탄자기계발사관학교.com

세계인구 79억 명, 79억 가지의 나다운 방탄리더십!
리더십의 반대는 무능함이 아니라 꼰대십(리더병)이다.
꼰대십(리더병) 백신은 방탄리더십!

1 0)방탄리더십
본질

263

나다운 방탄리더십

0)나다운 방탄리더십 본질

리더는 사라져도 방탄리더십은 1,000년 간다!

나다운 방탄리더십의 삼성(진정성, 전문성, 신뢰성)

BTS(방탄소년단) 리더인 RM의 삼성, 팀원들의 삼성, "A.R.M.Y"(아미)팬들의 삼성 (삼성: 진정성, 전문성, 신뢰성)

www.방탄자기계발사관학교.com

운전도 방어운전이 중요하듯 인생길은 방탄자존감
리더 당근 멘탈? 리더 계란 멘탈? 리더 커피 멘탈?

2

1)리더 자존감
2)리더 멘탈

2)리더 멘탈

4차 산업 시대는 4차 멘탈인 방탄멘탈로 업데이트!
리더 멘탈 7단계 업데이트
지금 시대 뭘 해도 욕먹는 세상, 현실?
방탄소년단(BTS)이 사건, 사고가 없는 이유는 멘탈 때문이다!
리더, 왕관, SNS, 유튜버, 연예인, 인기를 얻으려는 자 그 무게를 견뎌라!

www.방탄자기계발사관학교.com

리더십 습관? 꼰대십 습관? 리더병 습관?
리더십은 습관의 답이 있다!
리더 불행 유효기간? 리더 행복 유효기간? 리더 행복 심폐소생술!

3
3)리더 습관
4)리더 행복

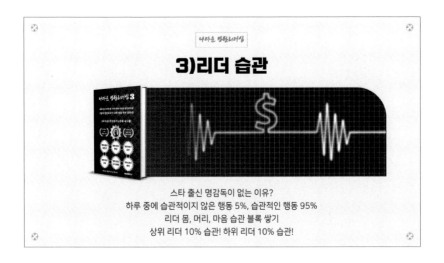

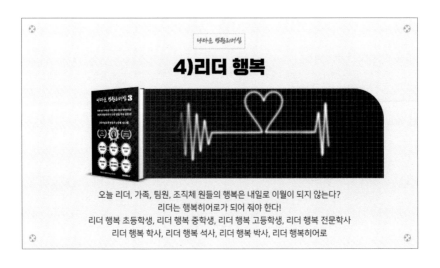

20,000명 심리 상담, 코칭 하면서 알게 된 리더 자기계발의 비밀!
리더는 노오력 자기계발이 아닌 올바른 노력 자기계 발을 해야 한다.
99도에서 1도를 올려주는 방탄 리더 자기계발(올바른 노력)

4

5)리더
자기계발

나다운 방탄리더십

5)리더 자기계발

취미로 끝나는 자기계발이 아닌
리더 자신 분야 삼성(진정성, 전문성, 신뢰성)을 올려
제2 수입, 제3 수입까지 발생시켜 온라인 건물주가 되는 올바른 노력인 방탄자기계발
더 나아가 은퇴, 노후 준비 까지 할 수 있는 방탄 리더 자기계발

리더는 왜! 반드시 5가지 방탄자기계발을 해야 하는가?

+ 1 +
강사 자기계발

- 리더는 프로 강사처럼 말, 표정, 행동이 나와야 한다.
- 당신의 리더십은 10 초안에 결정 난다.
- 리더십 스피치는 공식 30%, 스피치 습관 70%로 이루어진다.
- "따르라" 말하지 않아도 따르게 하는 리더 스피치!
- 리더의 1D, 2D, 3D, 4D 스피치!
- 강사 자기계발 병원(강사 종합검진, 강사 성형)
- 대한민국 10,000개가 넘는 강사 양성교육 중에 why? 방탄강사 사관학교를 선택해야 하는가?

www.방탄자기계발사관학교.com

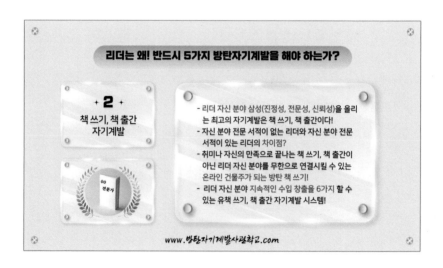

리더는 왜! 반드시 5가지 방탄자기계발을 해야 하는가?

+ 2 +
책 쓰기, 책 출간
자기계발

- 리더 자신 분야 삼성(진정성, 전문성, 신뢰성)을 올리는 최고의 자기계발은 책 쓰기, 책 출간이다!
- 자신 분야 전문 서적이 없는 리더와 자신 분야 전문 서적이 있는 리더의 차이점?
- 취미나 자신의 만족으로 끝나는 책 쓰기, 책 출간이 아닌 리더 자신 분야를 무한으로 연결시킬 수 있는 온라인 건물주가 되는 방탄 책 쓰기!
- 리더 자신 분야 지속적인 수입 창출을 6가지 할 수 있는 유책 쓰기, 책 출간 자기계발 시스템!

www.방탄자기계발사관학교.com

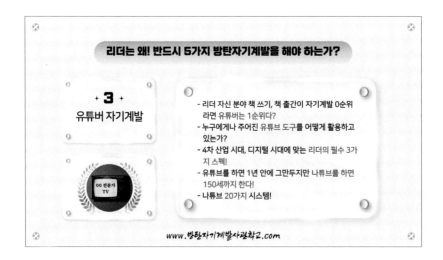

리더는 왜! 반드시 5가지 방탄자기계발을 해야 하는가?

+3+
유튜버 자기계발

OO 전문가
TV

- 리더 자신 분야 책 쓰기, 책 출간이 자기계발 0순위라면 유튜버는 1순위다?
- 누구에게나 주어진 유튜브 도구를 어떻게 활용하고 있는가?
- 4차 산업 시대, 디지털 시대에 맞는 리더의 필수 3가지 스펙!
- 유튜브를 하면 1년 안에 그만두지만 나튜브를 하면 150세까지 한다!
- 나튜브 20가지 시스템!

www.방탄자기계발사관학교.com

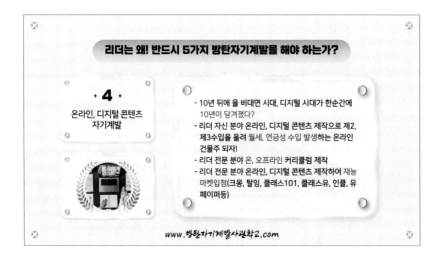

리더는 왜! 반드시 5가지 방탄자기계발을 해야 하는가?

+4+
온라인, 디지털 콘텐츠
자기계발

- 10년 뒤에 올 비대면 시대, 디지털 시대가 한순간에 10년이 당겨졌다?
- 리더 자신 분야 온라인, 디지털 콘텐츠 제작으로 제2, 제3수입을 올려 월세, 연금성 수입 발생하는 온라인 건물주 되자!
- 리더 전문 분야 온, 오프라인 커리큘럼 제작
- 리더 전문 분야 온라인, 디지털 콘텐츠 제작하여 재능마켓입점(크몽, 탈잉, 클래스101, 클래스유, 인클, 유페이퍼등)

www.방탄자기계발사관학교.com

리더는 왜! 반드시 5가지 방탄자기계발을 해야 하는가?

+ 5 +
무인 시스템 홈페이지
자기계발

- 홈페이지가 없는 리더! 홈페이지만 있는 리더!
  무인 자동결제 시스템이 되는 홈페이지가 있는 리더!
- 움직이지 않아도 수입이 발생하는 시스템! 홈페이지
  가 일하게 하자! 시스템이 일하게 하자! 콘텐츠가 일
  하게 하자!
- 자신 분야 디지털콘텐츠 제작으로 100년 월세, 연금
  받자!
- 리더 자기계발계의 브라이언 오셔, 거스 히딩크가 되
  어 주겠다!

www.방탄자기계발사관학교.com

보는 것, 말하는 것, 행동하는 것, 생각하는 것, 배우는 것,
SNS 사진 한 장 올리는 것, 만나는 사람들...등
일반 사람들과 달라야 한다.

5 +
6)리더
코칭

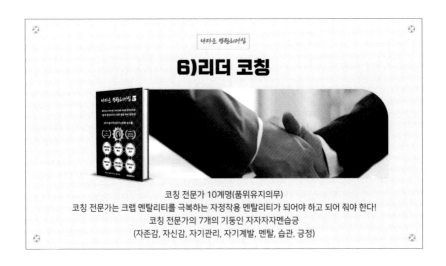

코칭 전문가 10계명(품위유지의무)
코칭 전문가는 크랩 멘탈리티를 극복하는 자정작용 멘탈리티가 되어야 하고 되어 줘야 한다!
코칭 전문가의 7개의 기둥인 자자자자멘습긍
(자존감, 자신감, 자기관리, 자기계발, 멘탈, 습관, 긍정)

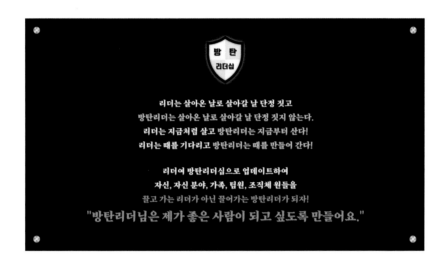

리더는 살아온 날로 살아갈 날 단정 짓고
방탄리더는 살아온 날로 살아갈 날 단정 짓지 않는다.
리더는 지금처럼 살고 방탄리더는 지금부터 산다!
리더는 때를 기다리고 방탄리더는 때를 만들어 간다!

리더여 방탄리더십으로 업데이트하여
자신, 자신 분야, 가족, 팀원, 조직체 원들을
끌고 가는 리더가 아닌 끌어가는 방탄리더가 되자!

"방탄리더님은 제가 좋은 사람이 되고 싶도록 만들어요."

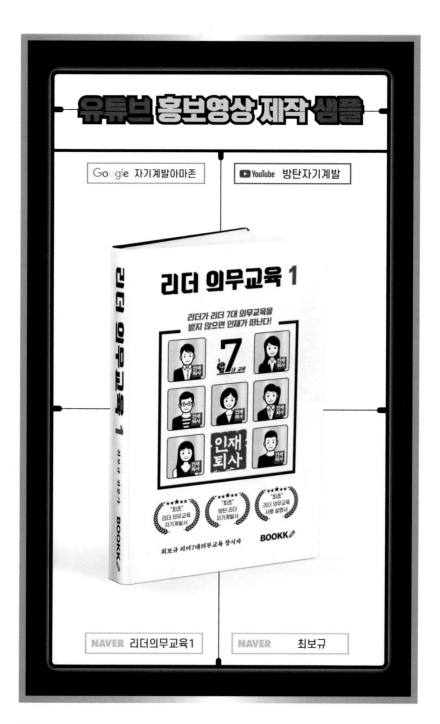

5대 법정의무교육 을 받지 않으면 500만 원 과태료
5억 원 이하의 과징금이 부과 된다!

리더 7대 의무교육 을 받지 않으면
인재가 떠나고 회사가 망한다!

7대 교육

7대 교육   7대 교육

20,000명 심리 상담, 코칭으로 알게 된
리더가 7대 의무교육을 받지 않으면
인재가 떠나고 회사가

망하는 7가지 이유!

7대 교육   7대 교육

스마트폰 가지고만 있어도 배터리가 소모되듯 리더십 배터리도 숨만 쉬어도 소모가 되기에 꾸준한 리더십 충전(리더 7대 의무교육)이 필요하다. 대한민국 최초 리더 7대 의무교육은 방탄자기계발사관학교에서 초고속 충전하고 인재를 양성하며 관리 할 수 있다.

20,000명 심리 상담, 코칭으로 알게 된 리더가 7대 의무교육을 받지 않으면 인재가 떠나고 회사가 망하는 7가지 이유!

7대 교육

방탄리더십(삼성리더십) 의무교육을 받지 않은 리더. ※삼성리더십: 진정성, 전문성, 신뢰성

방탄리더십의 본질은 삼성리더십이다. 리더의 가장 기본은 진정성, 전문성, 신뢰성이 리더십으로 나와야 한다. 파레토 법칙!(80:20법칙)
조직체원들중 인재 20%, 직원 80% 상황에서 리더가 삼성리더십이 나오지 않으면 직원 80%는 동요되지 않지만 인재 20%는 떠난다. 인재 20%는 철저하게 리더의 삼성을 본다는 것이다. 리더가 삼성이 없다면 회사가 삼성이 없는 것과 같다. 리더에게 방탄리더십(삼성리더십)이 가장 중요한 것이다.

2대

방탄 리더 자존감 의무교육을 받지 않은 리더.

자존감이 무엇인가? 자아존중감이다. 단순히 말을 하면 자신을 얼마만큼 사랑하는지 알
게 해주는 것이 자존감이다. 자존감이 높은 리더는 자신을 사랑하기에 조직체원들을 존
중, 인정, 배려로 대하지만 자존감이 낮은 리더들은 자신을 사랑하는 것이 부족해서 조직
체원들에게 존중, 인정 배려가 나오질 않아서 갑질, 오너리스크가 생기는 것이다. 인재들
은 자존감이 높다. 그래서 자존감이 낮으면 인재가 가장 먼저 알아차리고 떠난다.

 3대

방탄 리더 멘탈 의무교육을 받지 않은 리더.

멘탈이 낮으면 콤플렉스, 열등감, 자격지심이 많아서 말투, 표정, 행동에서 나온다. 멘탈이
낮은 리더는 안 좋은 상황, 위급한 상황이 닥쳤을 때 상황대처 능력이 떨어져서 우와좌왕
한다. 리더의 우와좌왕 하는 모습들이 누적이 되면 인재는 떠난다. 인재들은 멘탈이 높다.
인재라고 생각이 드는 직원이 있다면 멘탈 약한 모습을 보여 주어서는 안 된다. 평상시에
멘탈 학습, 연습, 훈련을 꾸준히 해야 한다.

방탄 리더 습관 의무교육 받지 않은 리더.

단호하고 냉정하지 못하는 습관. 거절 잘 못하는 습관. 귀가 얇은 습관. 결정 장애 습관. 감정 기복이 심한 습관. 한 방, 대박을 바라는 습관. 모든 것을 돈돈돈돈돈으로 보는 습관. 말할 때마다 돈돈돈돈돈으로 시작해서 돈으로 끝나는 습관. 돈에 집착하는 습관. 하는 행동이 만만하게 보이는 습관. 시기, 질투, 불안 습관 조금만 잘해줘도 간, 쓸개 다 빼주려는 습관. 오지랖이 많은 습관. 자기 관리를 하지 않는 습관. 자기계발을 하지 않는 습관. 너무 착하게만 행동하는 습관...

많은 것이 있지만 한마디로 정리를 하면 조직체원들이 봤을 때 "우와! 우리 리더의 습관을 보면 내가 좋은 직원이 되고 싶도록 만들어"라는 마음을 들게 해야 하는데 안 좋은 습관들이 많으면 "우리 리더의 습관을 보면 내일이라도 당장 퇴사하고 싶게 만든다."라는 마음을 들게 하여 인재가 떠나 회사가 망한다.

방탄 리더 행복 의무교육 받지 않은 리더.

리더 자신이 행복률이 낮으면 리더 자신의 행복률을 채우기 위해 세상, 현실, 주위 사람들이 말하는 행복의 기준인 돈에 집착하게 만든다. 돈을 많이 번다는 것에 3혹[유혹, 현혹, 화혹: 화려함에 혹하는 것]되어 사기를 잘 당한다. 행복률이 낮으면 3혹이 잘 된다. 3혹 되는 모습이 누적되면 인재가 떠나가고 회사가 망한다.

6대

방탄 리더 자기계발 의무교육 받지 않은 리더.

자기계발이 무엇인가? 자신, 자신 분야를 어제보다 나은 사람이 되기 위해 어제보다 0.1% 성장시켜 자신 가치, 몸값을 올려 자신 분야, 인생에서 필요한 사람이 되는 것이다. 자기계발을 제대로 하지 않는 리더는 자신의 성장에는 관심이 없고 오로지 돈만 있으면 된다는 태도로 한방, 대박만을 바라게 된다는 것이다. 인재가 회사를 떠나는 이유 중 첫 번째는 리더, 회사가 비전이 보이지 않는 것이다. 리더가 자기계발을 통해 비전, 가능성, 목표, 방향이 있다면 인재는 나가라고 해도 나가지 않는다. 아무리 화려한 것을 보더라도 가야 할 길(비전, 목표, 방향)이 분명하게 있는 리더는 3혹 되지 않지만 가야 할 길(비전, 목표, 방향)을 분명하게 보여주지 않으면 인재는 떠나고 회사는 망한다.

 7대

방탄 리더 코칭 의무교육 받지 않은 리더.

리더에게 0순위 스펙은 인재 양성 코칭이다! 리더가 인재 양성 코칭 매뉴얼, 시스템이 없다면 인재는 떠나간다. 인재는 오는 것이 아니라 만들어지는 것이다. 리더 코칭 의무교육 매뉴얼, 시스템 구축은 신입사원 교육 매뉴얼, 시스템보다 더 중요하다. 인재 양성 매뉴얼, 시스템이 없다면 인재는 더 이상 성장 할 수 없다고 판단한다. 성장할 수 없다고 판단이 서면 떠난다. 인재가 떠나면 회사가 망한다.

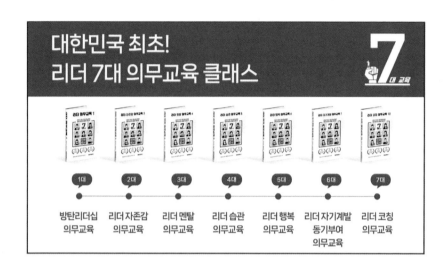

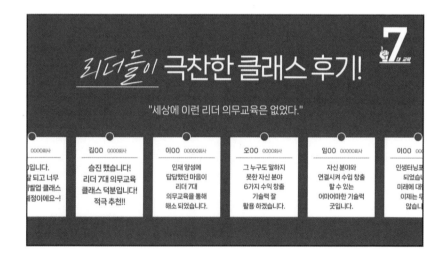

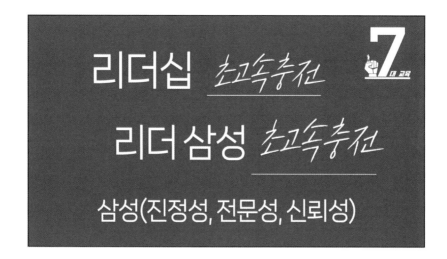

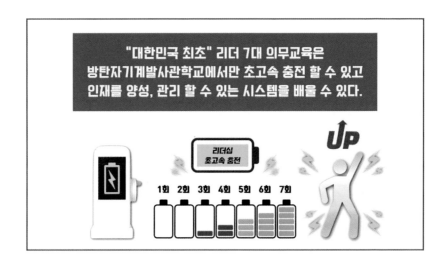

리더 7대 의무교육 자격증

1. 리더십 코칭전문가 2급, 1급
2. 동기부여 코칭전문가 2급, 1급
3. 자기계발 코칭전문가 2급, 1급
4. 강사 코칭전문가 2급, 1급
5. 책쓰기 코칭전문가 2급, 1급

※ 더 자세한 소개와 신청문의는 홈페이지를 참고해주세요. (www.방탄자기계발사관학교.com)

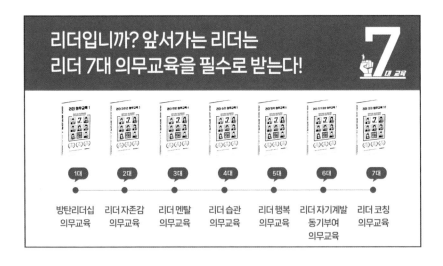

리더입니까? 앞서가는 리더는 리더 7대 의무교육을 필수로 받는다!

1대 방탄리더십 의무교육
2대 리더 자존감 의무교육
3대 리더 멘탈 의무교육
4대 리더 습관 의무교육
5대 리더 행복 의무교육
6대 리더 자기계발 동기부여 의무교육
7대 리더 코칭 의무교육

강사입니까? 앞서가는 강사는 리더 7대 의무교육을 할 수 있는 자격 조건이 되는 5가지 자격증은 필수다!

1	2	3	4	5
리더십 코칭전문가 2급, 1급	동기부여 코칭전문가 2급, 1급	자기계발 코칭전문가 2급, 1급	강사 코칭전문가 2급, 1급	책쓰기 코칭전문가 2급, 1급

※ 더 자세한 소개와 신청문의는 홈페이지를 참고해주세요. (www.방탄자기계발사관학교.com)

강사입니까? 앞서가는 강사는 리더 7대 의무교육을 할 수 있는 자격 조건이 되는 5가지 자격증은 필수다!

리더십코칭전문가   동기부여코칭전문가   자기계발코칭전문가   강사코칭전문가   책쓰기코칭전문가

※ 더 자세한 소개와 신청문의는 홈페이지를 참고해주세요. (www.방탄자기계발사관학교.com)

행복한 인생을 살기 위한 방법?
100점 짜리 인생을 살기 위한 방법?

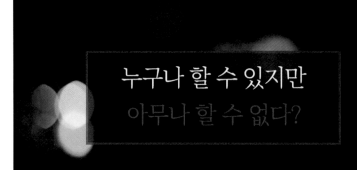

누구나 할 수 있지만
아무나 할 수 없다?

행복한 인생, 100점짜리 인생을 만들기 위한 방법!

일단 알파벳 순서대로 숫자를 붙여준다. A에 1을 붙여주
고 B에 2, C에 3, D에 4... 이런식으로 Z(26)까지 붙이면
된다. 그런 다음 어떤 단어 알파벳에 붙여진 숫자를 모두
더해 100 이 되는 단어를 찾는다.

행복한 인생, 100점짜리 인생을 만들기 위한 방법!

"열심히 일하면 될까?"
HARD WORK
8 + 1 + 18 + 4 + 23 + 15 + 18 + 11 = 98점

행복한 인생, 100점짜리 인생을 만들기 위한 방법!

"지식이 많으면?"
KNOWLEDGE
11 + 14 + 15 + 23 + 12 + 5 + 4 + 7 + 5 = 96점

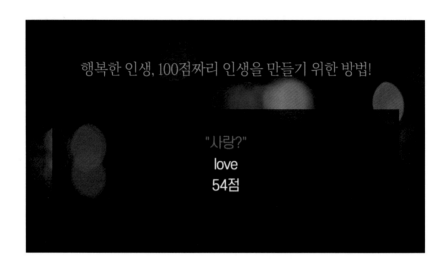

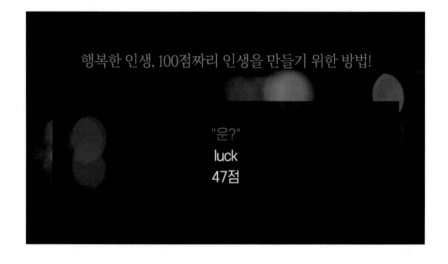

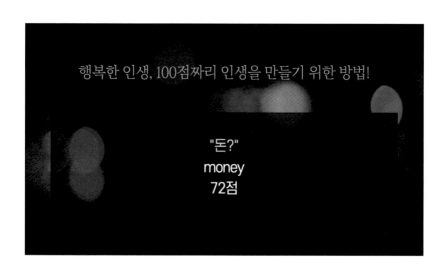

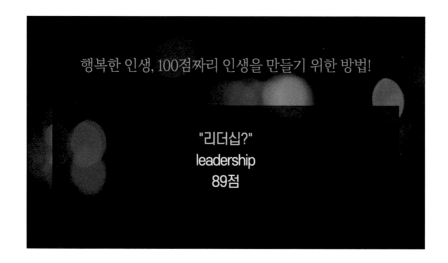

무엇이 인생을 100점짜리로 만들까? ─────────

무엇이 인생을 100점짜리로 만들까? ───────── 정답은 attitude

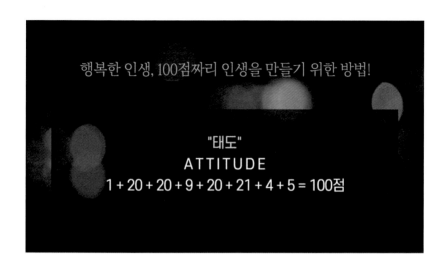

행복한 인생, 100점짜리 인생을 만들기 위한 방법!

"태도"
ATTITUDE
1 + 20 + 20 + 9 + 20 + 21 + 4 + 5 = 100점

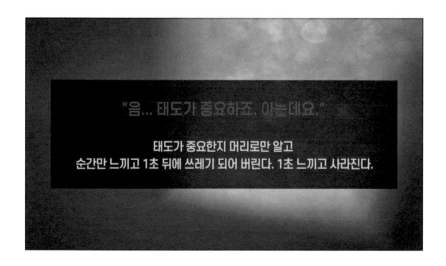

"음... 태도가 중요하죠. 아는데요."

태도가 중요한지 머리로만 알고
순간만 느끼고 1초 뒤에 쓰레기 되어 버린다. 1초 느끼고 사라진다.

"어떻게 하면 내 상황, 내 분야에서 좋은 태도를 만들어 갈 것인가?"

"성공자들, 인지도 있는 사람들, 자기계발 책 들, 동기부여 책들"
"유튜브 영상, 글, 메시지... 등 태도가 중요하다고 하는데"
"태도를 어떻게 학습, 연습, 훈련하는지 실질적인 방법을"
"알려주는 사람은 없었다!"

불러올 이미지가 없습니다.

지금 부터 집중하세요!

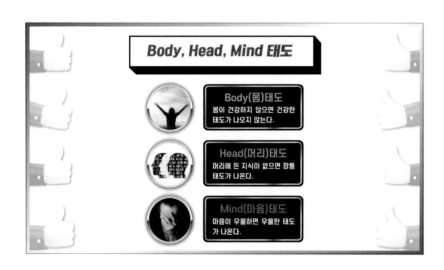

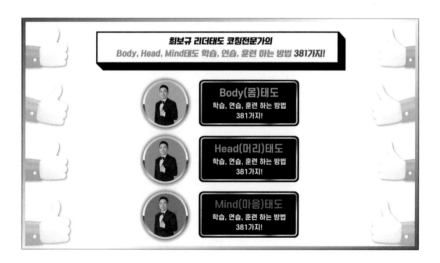

20,000명 심리 상담, 코칭으로 알게 된 태도의 비밀!
7G 직업(출판사 대표, 작가, 심리 상담사, 코칭 전문가, 강사,
유튜버, 한집의 가장)을 통해 알게 된 태도의 비밀!
2,000권 독서로 알게 된 태도의 비밀!
7,000개 메모로 알게 된 태도의 비밀!
자기계발서 100권 출간으로 알게 된 태도의 비밀!
온라인 콘텐츠, 디지털 콘텐츠 제작으로 50층 온라인 건물주
가 되어 알게 된 태도의 비밀!
강의 6,000회 경력으로 알게 된 태도의 비밀!
45년간 습관 381가지 만들면서 알게 된 태도의 비밀!
강사 15년 하면서 알게 된 태도의 비밀!

태도가 좋다고
리더십, 사랑, 인간관계, 행복
돈, 이루고 싶은 것... 좋은 결과를
만드는 건 아니지만
20,000명 심리 상담, 코칭 하면서 알게
된 것은 단언컨대 결과를 만들어
내는 사람들은 태도가 좋다!

대한민국 99%가 책 쓰기, 출간하는 방법만
교육, 코칭 한다!
6가지 수입 창출 책 쓰기, 출간 기술력을
교육, 코칭 하는 곳은 방탄book출판사뿐이다.

방법만 배우면 평생
몸을 움직여서 돈을 벌어야 하지만
방탄book기술력을 배우면 움직이지
않아도 돈을 벌수 있는 자동 시스템을 만든다.

304

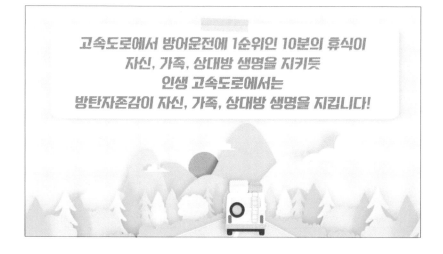

고속도로에서 방어운전에 1순위인 10분의 휴식이
자신, 가족, 상대방 생명을 지키듯
인생 고속도로에서는
방탄자존감이 자신, 가족, 상대방 생명을 지킵니다!

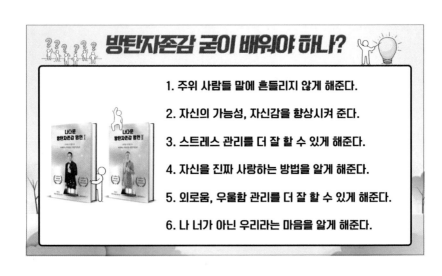

방탄자존감 굳이 배워야 하나?

7. 자신도 필요한 존재, 도움이 되는 사람 이구나 느끼게 해준다.

8. 부정적인 비교보다는 긍정의 비교를 더 하게 해준다.

9. 가진 것이 부족해 생기는 불만보다는 감사를 더 찾게 해준다.

10. 자격지심, 콤플렉스, 트라우마, 상처를 관리할 수 있게 해준다.

11. 삶의 의욕을 넘치게 해준다.

12. 자신 가치를 찾게 해준다.

13. 불행, 고난, 역경, 힘든 시기가 왔을 때 이겨 낼 수 있게 해준다.

방탄자존감은 인생을 잘 다루게 한다!

김연아는
김연아답게 세계에서 온리원으로 피겨를 잘 다루고

류현진은
류현진답게 세계에서 온리원으로 야구를 잘 다루고

손흥민은
손흥민답게 세계에서 온리원으로 축구를 잘 다루고

BTS(방탄소년단)는
BTS(방탄소년단)답게 세계에서 온리원으로 댄스, 뮤직을 잘 다루고
세계 최초 방탄멘탈 창시자 인
최보규는 최보규답게 세계에서 온리원으로 방탄자존감을 잘 다룬다.

방탄자존감은 인생을 잘 다루게 한다!

김연아는
김연아답게 세계에서 온리원으로 피겨를 잘 다루고

류현진은
류현진답게 세계에서 온리원으로 야구를 잘 다루고

손흥민은
손흥민답게 세계에서 온리원으로 축구를 잘 다루고

BTS(방탄소년단)는
BTS(방탄소년단)답게 세계에서 온리원으로 댄스, 뮤직을 잘 다루고
세계 최초 방탄멘탈 창시자 인
최보규는 최보규답게 세계에서 온리원으로 방탄자존감을 잘 다룬다.

방탄자존감은 인생을 잘 다루게 한다!

지혜로운 사람은 자신을 잘 다루며
방탄자존감은
돈, 사랑, 행복, 인간관계, 자기계발, 멘탈, 습관, 꿈등
이루고 싶은 것들을 잘 다루게 한다.
4차산업시대에 4차 자존감인 방탄자존감은 선택이 아닌 필수다.

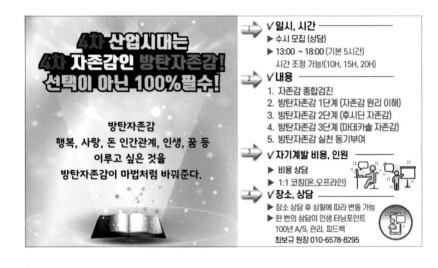

**누군가는 출간한 책이 냄비 받침대가 되어가고
누군가는 출간한 책이 인생 디딤돌이 되어간다.**

어떤 사람? 당신의 선택은?

OOO책 쓰기, 책 출간 교육받고 책 출간했는데 3개월 지나니 별거 없다. 책 쓰는 방법만 배우니 출간한 책이 냄비 받침대 되어 간다... 출간 한 책을 활용할 수 있는 방법은 없나? 출간한 책이 너무 아깝다. 책이 죽어가요! 누가 좀 도와주세요!

방탄book기술력 코칭 받고 책 출간으로 내 분야와 연결하여 지속적인 홍보마케팅이 되어 수입이 지속적으로 발생하고 나이들어도 계속할 수 있는 기술력을 만들 수 있어서 너무 감사합니다. 방탄book기술력은 인생에 디딤돌입니다.

앞에서 언급했던 내용인 "누구나 최고의 홍보 마케팅 도구를 가지고 있다? 무엇을 상상하는가? 누구나 가지고 있는 것이 무엇인가? 스마트폰이다. 스마트폰으로 할 수 있는 자신의 SNS다. 스마트폰으로 할 수 있는 가장 기본적인(무료) 홍보마케팅 도구가 유튜브 자신 채널, 네이버TV, 카카오TV, 카카오스토리, 카카오톡(펑), 페이스북, 인스타그램, 유튜브, 네이버 블로그, 카카오스토리, 티스토리, 밴드... 등이 있을 것이다."

누구나 SNS 친구, 지인들, 간접적으로 알고 지내는 사람, 우연히 SNS 친구가 된 사람... 등 눈에 들어오는 프로필 이미지가 있다면 클릭을 한다. 자신에 대해서 잘 알고 있는 사람일지라도 자신이 지금 무엇을 새롭게 하고 있는지를 어필하기 위한 한 가지가 프로필 이미지다.

전문 분야가 있다면 자신 취미 사진, 먹는 사진, 놀러 간 사진, 가족사진, 자녀 사진 프로필에 올리는 것도 좋지만 프로필 사진, SNS에 올리는 사진에 자신의 전문성을 어필할 수 있는 이미지를 올리면 홍보마케팅이 되는 것이다.

"프로필 이미지, SNS에 올라오는 사진을 보니, 이 사람 이런 것도 하는 사람이었구나. 이 사람 전문성이 있는 사람이었구나. 그쪽 궁금한 게 있었는데 자문 좀 구해봐

야겠는데, 도움을 줄 수 있겠는데, 도움을 받을 수 있겠는데... 등"

그래서 홍보마케팅을 무료로 할 수 있는 방법들을 최대한 활용을 해야 된다. SNS 프로필 홍보마케팅은 무료로 계속할 수 있는 장점도 있다.

어떻게 하면 자신 분야 노출을 시킬 것인가를 끊임없이 생각하고 행동해야 한다. 다음으로 나오는 프로필 비교 이미지를 참고하길 바란다.

책 홍보 SNS 프로필 샘플

327

책 홍보 SNS 프로필 샘플

SNS 계정 모든 프로필

책쓰기코칭전문가 2급

6가지 수입 창출 책쓰기 기술력!

SNS 속 프로필은 자신과 직접적, 간접적으로 연결이 되어 있어야 볼 수가 있다. 자신을 모르는 사람이라면 자신의 프로필을 보기가 쉽지 않다.

#이라는 해시태그를 걸어두면 처음 보는 사람도 검색으로 들어온다. 하지만 프로필은 핵심 이미지 한 장만 어필할 수 있기에 세부적인 홍보마케팅은 되지 않는다. 그래서 무료로 할 수 있는 네이버 블로그, 티스토리를 활용해야 한다. 네이버 블로그, 티스토리에 매일 하나씩 업로드해서 노출을 시켜야 한다. 홍보비에 여유가 있다면 얼마든지 업체에 의뢰를 해서 한 달에 몇 백씩 홍보를 해도 된다. 하지만 꾸준히 홍보비를 지출하면서 한다는 게 쉽지가 않다.

세상에 모든 것은 꾸준함이 전제가 되어야 한다. 성실함의 부모는 꾸준함이다. 성실함이 기본이 되어 꾸준함이 나오는 것이다. 성실함이 없으면 꾸준함은 나오지 않는다. 한마디로 책이든 제품이든 자신 분야 홍보마케팅에는 끝이 없다는 것이다. 무료로 할 수 있는 자신의 계정으로 꾸준히 하는 게 답이다.

책에 있는 핵심 내용들을 이미지, 메시지로 만들어서 스마트폰으로 할 수 있는 틀을 만들어야 한다. PC로 할 수도 있겠지만 언제든지 빠르고 쉽게 할 수 있는 스마트폰으로 할 수 있어야 시간 절약을 할 수 있다. 지금 시대에는 시간은 금이 아니라 다이아몬드다.

책에 있는 내용을 이미지로 만든다는 게 쉽지 않다. 필자는 원고 작업 시작할 때 이미지와 글을 같이 만들었다. 방탄book기술력 코칭 할 때 늘 하는 말이 있다.

"남과 같은 방법으로 원고에 글만 쓴다면 경쟁력이 없다. 지금 시대에 사람들의 시각적인 심리(하루만에도 영상, 숏폼, 이미지 몇 1,000개를 본다)에 맞게 책 내용을 극대화하기 위해서 글에 맞는 이미지를 만들어야 한다. 글을 이미지로 만드는 훈련을 하면 6가지 수입 창출 시스템을 만드는데 시간, 돈 낭비를 줄여 준다. 나중에 해야 할 것을 미리 하는 것뿐이다."

책 핵심 내용 이미지 만드는 방법에는 3가지가 있다.

첫 번째 방법.

책을 출간하고 나서 이미지 작업을 따로 해서 원고 수정을 한다.

두 번째 방법.

원고에 글을 완성한 다음에 핵심 내용들에 이미지 디자인을 한다.

세 번째 방법.

원고에 글을 쓸 때부터 핵심 내용들 이미지 디자인을

같이 한다.

방탄book기술력을 만난 사람들은 처음부터 책을 쓸 때
두 번째, 세 번째를 배워서 한다.
책을 출간하고 방탄book기술력을 만난 사람들은 뒤늦게
책 핵심 내용 이미지 디자인의 중요성을 알게 된다.

책만 출간할 거라면 책 핵심 내용 이미지 디자인이 필
요 없다. 하지만 6가지 수입 창출까지 하려면 책 핵심
내용 이미지 디자인은 필수다. 늘 말하지만 세상에서 가
장 쉬운 방법은 만들어져 있는 것을 어떻게 만들었는지
참고해서 벤치마킹하는 것이다.

다음으로 나오는 책 홍보 블로그 디자인 샘플들을 참고
하자.

방탄습관블록
행동 수칙 10가지 공식

1 습관의 고정관념, 틀, 선입견, 편견을 깨지 못하면 나다운 습관은 쌓지 못한다

2 나다운 방탄습관블록 3:7 공식 원리 이해! 방탄습관블록 3why? 기법!

3 노벨상을 받은 사람의 습관 공식? 세계 1억 5천만 부 팔린 책 습관 공식? 다 잊어라!

4 나다운 몸 습관 블록 쌓기 원리

5 나다운 몸 습관 블록 쌓기

6 나다운 머리 습관 블록 쌓기 원리

7 나다운 머리 습관 블록 쌓기

8 나다운 마음(방탄멘탈)습관 블록 쌓기 원리

9 나다운 마음(방탄멘탈)습관 블록 쌓기

10 당신의 가능성은 무한대이지만 혼자서는 나다운 방탄습관블록을 쌓을 수 없다!

1

습관의 개념은 안 좋은 습관을 바꾸는 것이
아니라 좋은 습관을 하나씩
쌓아 가는 것입니다.
현재 안 좋은 습관은 유지하면서
만들고 싶은 좋은 습관을
자신이 지금 하고 있는
습관 위에 쌓는 것입니다.
"습관은 바꾸는 것이 아니라 쌓는다." 개념
으로 시작하십시오.
한마디로 레고처럼 블록을 쌓는 것입니다.
안 좋은 습관을 중간에 빼는 것이 아닙니다.
그 위에 쌓는 것입니다.

– 《나다운 방탄습관블록》 저자 최보규 –

습관분야 베스트셀러

최보규
습관 아인슈타인

NAVER	최보규
NAVER	방탄습관블록
▶ YouTube	방탄습관블록

2

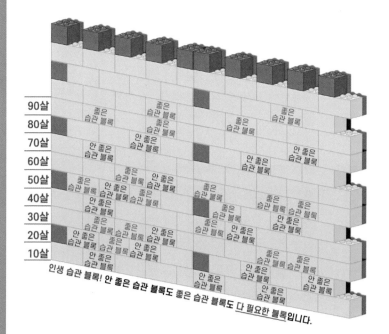

3

평균적으로 사람들이
알고 있는 습관 개념?

방탄습관 개념!

3개월 꾸준히 하지 못해서
습관을 못 만들었어;;
에잇! 다음부터 안 해;;

꾸준히 하는 것도 습관 블록!
몸의 익숙해지는 기간 3개월 이상만 하면
꾸준히 안 하더라도 습관 블록 쌓는 것이다!
작은 습관 블록 성취감을 누적시켜 큰 습관 블록 도전!

- 《나다운 방탄습관블록》 저자 최보규 -

습관분야 베스트셀러

최보규

습관 아인슈타인

NAVER	최보규
NAVER	방탄습관블록
▶ YouTube	방탄습관블록

4

15,000명 상담하면서 습관을 오래 유지 못하는 사람들의
특징은 유명한 사람의 고유의 성격, 경험 70%를
따라 하기 때문에 나답게가
나오지 않아 오래 유지가 안 되는 것입니다.

나다운 방탄습관블록 쌓기 공식!

3:7 공식!
30%(유명한 습관 공식 10개 중 3개 벤치마킹)
70%(시행착오, 대가지불을 통한 자신 경험)
남이 보편적으로 하는 거 줄이기 남이 게을러서, 귀찮아서 안 하는 거 하기

- 《나다운 방탄습관블록》 저자 최보규 -

습관분야 베스트셀러

최보규
습관 아인슈타인

NAVER	최보규
NAVER	방탄습관블록
▶ YouTube	방탄습관블록

5

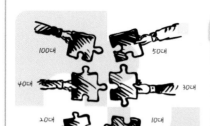

항상 나이를 핑계로 시작을 못 한다!
100대는 90대를 보면서 좋을 때다
내가 10년만 젊었어도 다 해보겠다.
90대는 80대에게
80대는 70대에게
70대는 60대에게
60대는 50대에게
50대는 40대에게
40대는 30대에게
30대는 20대에게
그 좋은 때가 지금입니다.
시작합시다!

나다운 방탄습관 쌓기 가장 좋은 나이?
좋은 시절, 안 좋은 시절 다 내 인생의 필요한 퍼즐입니다.
감사하고 사랑합시다. 토닥! 토닥! 잘 하고 있는 거 알지!

- 《나다운 방탄습관블록》 저자 최보규 -

습관분야 베스트셀러

최보규
습관 아인슈타인

NAVER 최보규
NAVER 방탄습관블록
▶ YouTube 방탄습관블록

6

343

나다운 방탄멘탈 공식! 올노!(올바른 노력) •••

올노(올바른 노력 = 올노+전문가 피드백+ 수정, 올노)

feedback

1단계: 적응될 때까지!
익숙해질 때까지!

2단계: 올노했던 방법
전문가에게 점검받기!

3단계: 수정한 것으로
다시 올노!

1단계+2단계+3단계 = 반복(결과 나올 때까지)

방탄멘탈 = 자자자자멘습궁! 멘탈시대는 끝났습니다!
운전도 방어운전이 중요하듯
'나다운 방탄멘탈'이 필요합니다.
나다운 방탄멘탈도 스펙입니다.
학습, 연습, 훈련을 통해 익히는 것입니다!

[출처: 〈나다운 방탄멘탈〉 저자 최보규]

★★★★★
최보규 방탄멘탈 창시자

NAVER	최보규
NAVER	나다운방탄멘탈
▶ YouTube	방탄자기계발
Google	자기계발아마존

1

세상에서 가장 아름다운 것은 나다운 것입니다.
현실 속 나다움이 죽어가고 있습니다.
나다운 골든타임! 지금! 나다운 심폐소생술 시작합니다!
나다움의 시작은 사람을 존중할 때 시작됩니다.
남이 하는 것 안 하기! 남들이 안 하는 것 하기!

[출처: 〈나다운 방탄멘탈〉 저자 최보규]

★★★★★
최보규 방탄멘탈 창시자

NAVER	최보규
NAVER	나다운방탄멘탈
▶YouTube	방탄자기계발
Google	자기계발아마존

2

최고의 부모? 최고의 리더?
부모님 같은 부모가 되고 싶어요!
리더님 같은 리더가 되고 싶어요!
부모, 리더가 보내는 가장 강력한
메시지는 솔선수범입니다.

[출처: 〈나다운 방탄멘탈〉 저자 최보규]

★★★★★
최보규 방탄멘탈 창시자

NAVER	최보규
NAVER	나다운방탄멘탈
▶YouTube	방탄자기계발
Google	자기계발아마존

3

혀가 좋아하는 음식은 몸이 싫어하고
몸이 좋아하는 음식은 혀가 싫어한다.
달달한 음식은 몸을 썩게 한다.
달달한 인생은 인생을 썩게 한다.

[출처: 〈나다운 방탄멘탈〉 저자 최보규]

★★★★★
최보규 방탄멘탈 창시자

NAVER	최보규
NAVER	나다운방탄멘탈
▶ YouTube	방탄자기계발
Google	자기계발아마존

4

노오력
시간만, 경력만, 채우는 것!

올바른 노력
1. 집중 2. 전문가 피드백 3. 수정

어제

어제 보다
0.1%
변화, 나음, 성장

노력은 경험만 채우고 시간만 때우는 노력입니다. 지금 시대는 노력이 배신하는 시대입니다.
올바른 노력은 어제보다 0.1% 다르게, 변화, 마음, 성장하는 것입니다.

- 〈자기계발 코칭전문가 1〉 저자 최보규 -

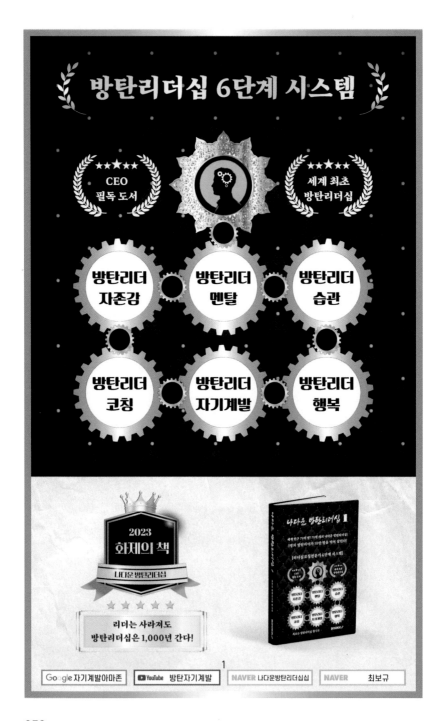

세종 대왕 리더십, 이순신 리더십, 링컨 리더십, 카리스마적 리더십, 코칭 리더십, 서번트 리더십, 감성 리더십, 윤리적 리더십, 셀프 리더십, 팀 리더십 등 지금까지 알고 있는 리더십 다 잊어라!

세계 인구 80억 명 80억 개의 리더십이 있다!

80억 개의 리더십

What is a leader?

현재 세계 인구는 80억 명이다. 그렇다면 리더십은 몇 가지일까? 80억 가지의 리더십이 있다. 사람 지문, DNA가 같은 사람이 없듯이 리더십도 사람마다 같을 수 없다. 나다운 리더십을 만들어야 세상에 하나뿐인 방탄 리더십이 생겨 오래 지속되는 것이다. 사람마다 리더십이 다르기 때문에 지금까지 알고 있는 리더십은 다 잊으라고 말을 하는 것이다.

– 《나다운 방탄리더십 1》 저자 최보규 –

2023 화제의 책
나다운 방탄리더십

★ ★ ★ ★ ★

리더는 사라져도 방탄리더십은 1,000년 간다!

나다운 방탄리더십 1

2

Google 자기계발아마존 | ▶ YouTube 방탄자기계발 | NAVER 나다운방탄리더십십 | NAVER 최보규

리더는 유튜브가 아닌 나튜브!

자신 분야
삼성(진정성, 전문성, 신뢰성)을 높여
온라인 건물주!

유튜브는 자신 100년 인생 파이프라인!

▶ 파이프라인: 시간, 환경 제약 없이 지속적인 소득이 일어난다!

지금 시대 유튜브   You Tube   선택이 아닌 필수

자신 분야를 무한으로 연결시켜 준다!

최보규
리더 유튜브코칭 전문가
유튜브 도구 활용!

통장 상승 집중원 전문가	디지털콘텐츠 (월세)	온라인콘텐츠 (연금성)	자신 분야 코칭, 컨설팅	책(인세)	책 출판	강사	사람 연결	자신분야 연결	가능성
$$50000	$$50000	$$50000	$$50000	$$50000	$$50000	$$50000	$$50000	$$50000	$$50000

2

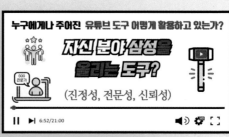

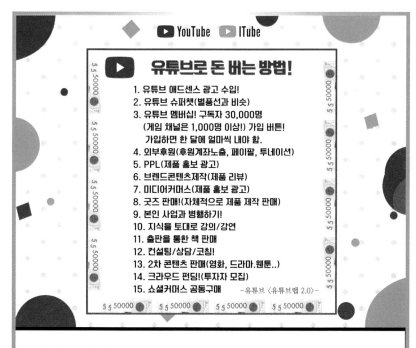

리더 자신 분야 최고의 수입 플랫폼 연결
고리가 되어 자신 분야를 무한대로 연결해
준다.

– 《리더는 유튜브가 아닌 나튜브 1》 저자 최보규 –

355

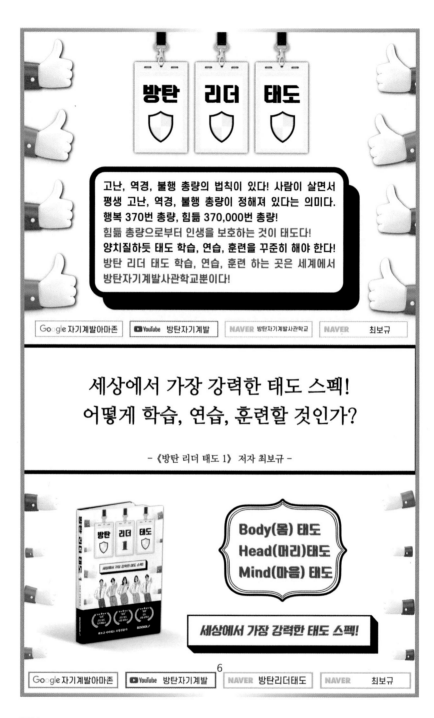

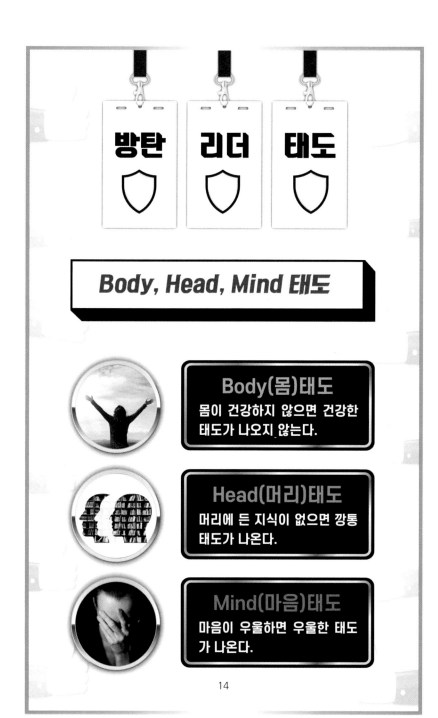

방탄 리더 태도

Body, Head, Mind 태도

Body(몸)태도
몸이 건강하지 않으면 건강한 태도가 나오지 않는다.

Head(머리)태도
머리에 든 지식이 없으면 깡통 태도가 나온다.

Mind(마음)태도
마음이 우울하면 우울한 태도가 나온다.

14

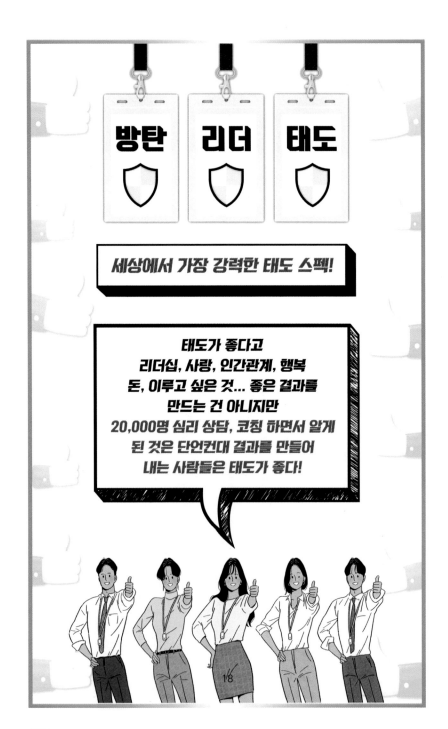

세상에는 3부류에 태도를 배우는 사람이 있다!

태포자(태도 포기자)

수많은 태도 교육 영상, 글... 등을 봤지만 전혀 동기부여가 되지 않아 태도를 포기한 사람.

태포 예정자

수많은 태도 교육 독서, 자격증, 교육, 코칭을 받지만 그때뿐이고 시간, 돈 낭비만 하는 사람.

태케시(태도 교육 케어 시스템)

태도 교육을 시스템 안에서 태도 교육 주치의에게 150년 a/s, 피드백, 관리 받으면서 자신 분야 변화, 성장을 초고속으로 준비 하는 사람.

19

자신 감정을 가장 많이 흔드는 사람
베스트 5!

1 자기 자신 ★★★★★

2 가족 ★★★★★

3 결혼한 배우자 ★★★★★

4 자녀 ★★★★★

5 ★★★★★

역으로 생각하면 감정컨트롤 최고의

방법을 알려주는 사람이 가장 가까운 관계다!

정신, 감정 변화 현실!
어떻게 대처할 것인가?

서울 개인병원 주요 진료과목 증감률

단위: %, 2017년 대비 2022년 기준 증감 상·하위 과목

정신건강의학과	(302개→534개) 76.8
마취통증의학과	41.2
흉부외과	37.5
신경외과	37.2
재활의학과	36.0
이비인후과	5.7
가정의학과	3.5
산부인과	2.2
영상의학과	-2.4
소아청소년과	-12.5 (521개→456개)

자료: 서울연구원, 건강보험심사평가원

★ 세상 모든 심리학자가 말하는
감정컨트롤 최고의 방법!

- 《방탄 리더 감정컨트롤 1》 저자 최보규 -

방탄 리더 감정컨트롤 1
(리더 스트레스 관리)

방탄 리더 감정컨트롤

감정컨트롤 식스펙!
(스트레스 관리 기술)

13

| Google 자기계발아마존 | YouTube 방탄자기계발 | NAVER 방탄리더감정컨트롤 | NAVER 최보규 |

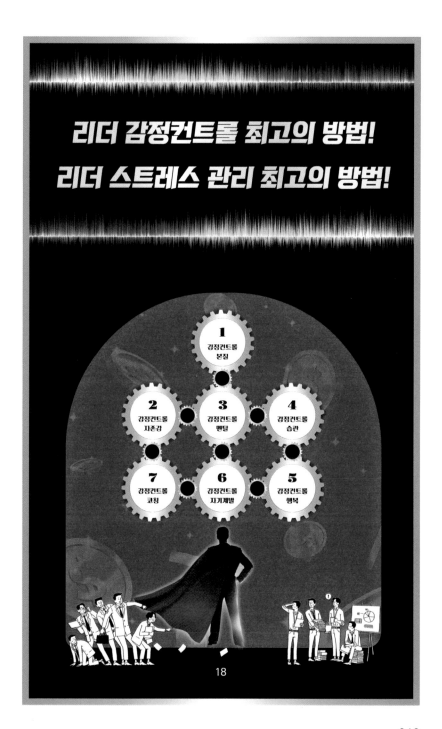

리더 자신 분야 삼성(진정성, 전문성, 신뢰성)을 올리는
최고의 자기계발은 책 쓰기, 책 출간이다!

책을 출간한다고 다 전문가가 되는 게 아니다!
하지만 전문가들은 책을 출간한다.
자신 분야 삼성(진정성, 전문성, 신뢰성)을
단기간에 올리고
시간, 돈 낭비를 줄여주는 최고의 방법이 책 출간이다!

리더 자신 분야 삼성(진정성, 전문성, 신뢰성)을 올리는 최고의 자기계발은 책 쓰기, 책 출간이다!

- 《방탄 리더 책쓰기 1》 저자 최보규 -

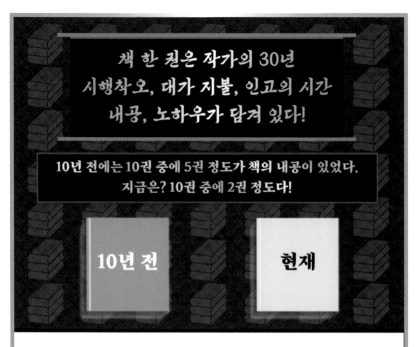

책 한 권은 작가의 30년
시행착오, 대가 지불, 인고의 시간
내공, 노하우가 담겨 있다!

10년 전에는 10권 중에 5권 정도가 책의 내공이 있었다.
지금은? 10권 중에 2권 정도다!

10년 전

현재

"한 권의 책은 그 사람의 30년 시행착오, 대가 지불, 인고의 시간, 내공이 들어있어 한 권으로 배우는 것이다."라는 말을 들어봤을 것이다.

- 《방탄 리더 책쓰기 1》 저자 최보규 -

10

책 쓰기는 운전면허 취득 과정과 같다?

**책 쓰기, 책 출간 의미부여, 목표, 방향이 없으면
무면허로 운전하는 거와 같다!**

누군가는 운전면허증을 취득하려는 의미부여, 목표, 방향이 남들 다 운전면허증이 있으니 별 의미부여, 목표, 방향 없이 운전면허증을 취득하려고 한다.

- 《방탄 리더 책쓰기 1》 저자 최보규 -

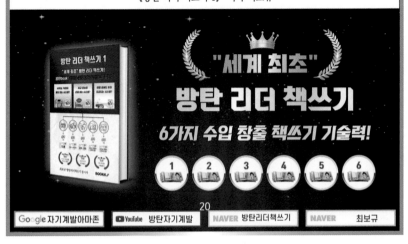

대한민국 5가지 책 출판 개념의 장, 단점을 알고 전략적으로 책을 써야 한다.

기획출판	공동 기획출판	자비출판	대필출판	독립(개인)출판
출판사에서 100% 다 해준다!	출판사 저자 50%:50%	출간 비용 지불하면 50%만 해준다!	출간 비용 지불하면 100% 다 해준다!	저자가 출판사가 되어 100% 다 한다!
출판사에서 책 한 권에 들어가는 모든 비용 2000~3000만 원 투자! 저자 출간비용 0원!	저자 출간비용 기본 150만 원 + 추가비용	저자 출간비용 기본 100만 원+ 추가비용만 내면 출판사에서 다 해준다!	저자 출간비용 기본 300만 원+ 추가비용만 내면 출판사에서 다 해준다!	저자가 출판 모두 진행 0원, 500만 원 ~ 3,000만 원

기획출판, 공동 기획출판, 자비 출판, 대필출판, 독립(개인)출판 장, 단점을 모르면 책 쓸 자격이 없다! 기획출판, 공동 기획출판, 자비 출판, 대필출판, 독립(개인)출판의 원고, 기간, 인세, 비용, 출판부수, 장단점을 파악해야만 자신 책 쓰기, 책 출간 목표, 방향이 잡혀서 책 쓰기, 책 출간에 날개를 달게 된다.

- 《방탄 리더 책쓰기 1》 저자 최보규 -

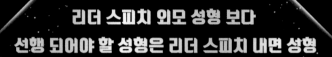

리더 스피치 외모 성형 보다
선행 되어야 할 성형은 리더 스피치 내면 성형

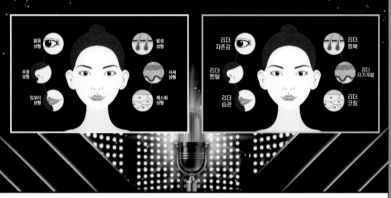

90%가 잘 못 알고 있는 스피치 본질! 스피치
고.틀.선.편 깨기(고정관념, 틀, 선입견, 편견)

– 《방탄 리더 스피치 1》 저자 최보규 –

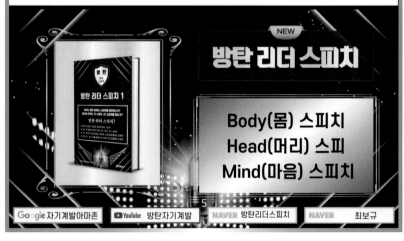

NEW
방탄 리더 스피치

Body(몸) 스피치
Head(머리) 스피
Mind(마음) 스피치

Google 자기계발아마존　▶YouTube 방탄자기계발　NAVER 방탄리더스피치　NAVER 최보규

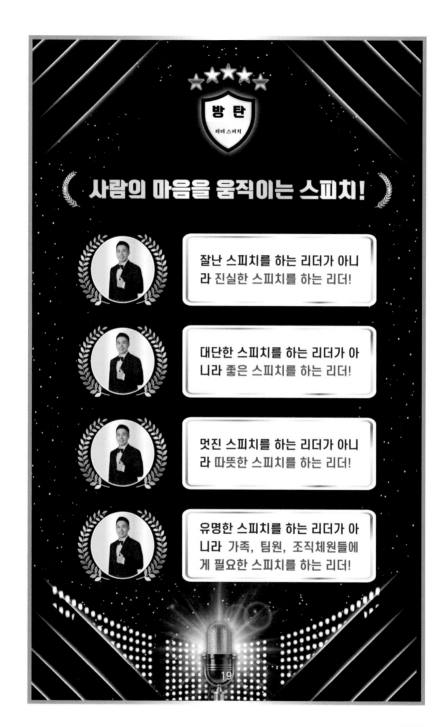

사람의 마음을 움직이는 스피치!

잘난 스피치를 하는 리더가 아니라 진실한 스피치를 하는 리더!

대단한 스피치를 하는 리더가 아니라 좋은 스피치를 하는 리더!

멋진 스피치를 하는 리더가 아니라 따뜻한 스피치를 하는 리더!

유명한 스피치를 하는 리더가 아니라 가족, 팀원, 조직체원들에게 필요한 스피치를 하는 리더!

Body(몸) 스피치, Head(머리) 스피치, Mind(마음) 스피치 학습, 연습, 훈련 하는 방법 320가지!

- 《방탄 리더 스피치 1》 저자 최보규 -

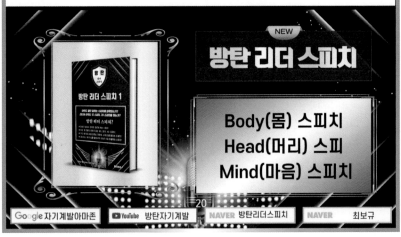

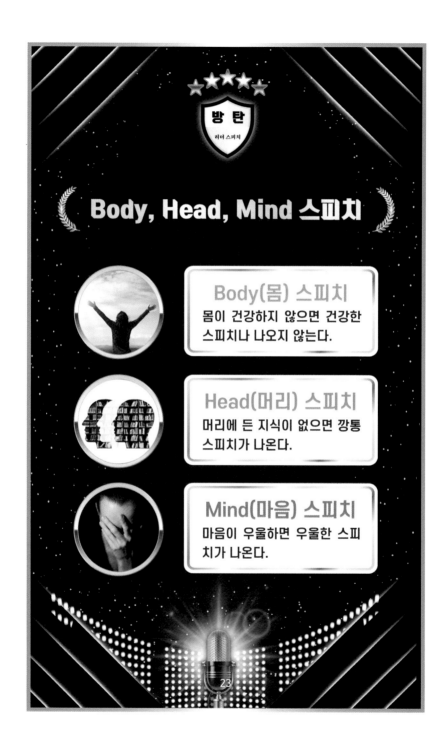

Body, Head, Mind 스피치

Body(몸) 스피치
몸이 건강하지 않으면 건강한 스피치나 나오지 않는다.

Head(머리) 스피치
머리에 든 지식이 없으면 깡통 스피치가 나온다.

Mind(마음) 스피치
마음이 우울하면 우울한 스피치가 나온다.

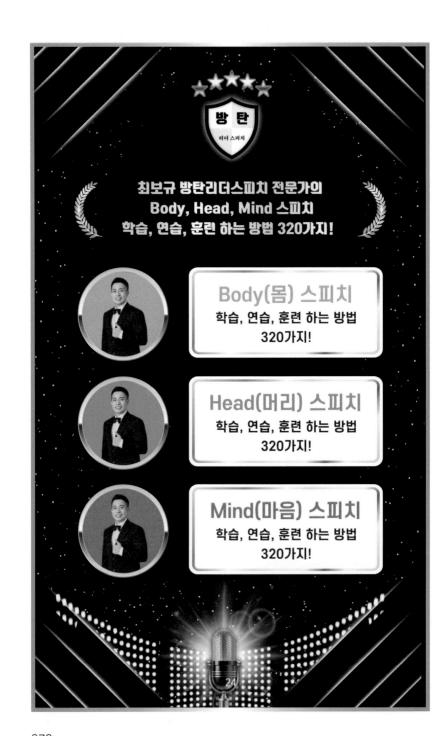

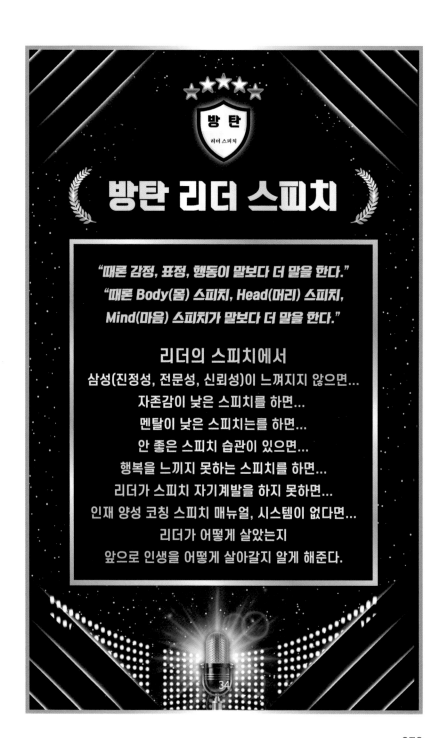

방탄 리더 스피치

"때론 감정, 표정, 행동이 말보다 더 말을 한다."
"때론 Body(몸) 스피치, Head(머리) 스피치,
Mind(마음) 스피치가 말보다 더 말을 한다."

리더의 스피치에서

삼성(진정성, 전문성, 신뢰성)이 느껴지지 않으면...
자존감이 낮은 스피치를 하면...
멘탈이 낮은 스피치는를 하면...
안 좋은 스피치 습관이 있으면...
행복을 느끼지 못하는 스피치를 하면...
리더가 스피치 자기계발을 하지 못하면...
인재 양성 코칭 스피치 매뉴얼, 시스템이 없다면...
리더가 어떻게 살았는지
앞으로 인생을 어떻게 살아갈지 알게 해준다.

**자기계발, 동기부여 책 200권, 영상 300개, 교육 들어도
자기계발, 동기부여가 안 되는 이유?**

늘 그때뿐인 자기계발, 동기부여?
책, 영상, 메시지, 사진, 교육, 코칭...등
어떻게 하면 시간, 돈 낭비를 줄일 수 있을까?

어떻게 하면 실천 동기부여를 잘 할 수 있을까?

늘 그때뿐인 자기계발, 동기부여?
책, 영상, 메시지, 사진, 교육, 코칭...등
어떻게 하면 시간, 돈 낭비를 줄일 수 있을까?

- 《방탄 리더 동기부여 1》 저자 최보규 -

자기계발, 동기부여 책 200권, 영상 300개, 교육 들어도 자기계발, 동기부여가 안 되는 이유?

뇌 7개 영역을 자극하는 것들이 실천 동기부여, 행동을 잘하게 만든다.

(스토리텔링, 오감을 자극하는 직접 경험, 생방송)

- [<innovation Excellence> 'The Neuroscince of Storytelling'] -

행동하지 않는
90% 사람들

뇌 2개 영역
활성화

(데이터(정보)만 말하고 듣고 보기만 한다)

행동하는
10% 사람들

뇌 7개 영역
활성화

(스토리텔링, 오감을 자극하는 직접 경험, 생방송)

기본적인 사람의 심리는 데이터로(정보)만 말했을 때, 데이터로(정보)만 들었을 때, 데이터로(정보)만 봤을 때는 뇌의 2개의 영역만 활성화된다. 데이터가 아닌 스토리로 보고, 스토리로 듣고, 스토리로 말하고, 스토리로 경험을 하면 뇌의 7개의 영역이 활성화 되어 더 행동하게 만들고 더 실천하게 만든다.

– 《방탄 리더 동기부여 1》 저자 최보규 –

5

"아~ 실천해야 하니까 지금 필사하자. 지금 메모해 놔야겠다!" 이런 사람 몇 명이나 될까? "영상, 글, 메시지, 이미지 감동받았어! 너무 좋다! 이거 저장해 두어야겠다!" 이런 사람 몇 명이나 될까?

- 《방탄 리더 동기부여 1》 저자 최보규 -

검증된 코칭전문가

특허청 등록
최보규 강사책출간 코칭전문가
등록 번호: 제 40-2200794 호

특허청 등록
최보규 자기계발코칭 창시자
등록 번호: 제 40-2072344 호

특허청 등록
최보규 리더동기부여 코칭전문가
등록 번호: 제 40-2128786 호

※ 상표 및 상호를 무단 도용할 경우
[특허법]에 의해 1억 원 이하의 벌금, 7년 이하의 형사처분을 받을 수 있습니다.

特허청 등록
최보규 강사책출간 코칭전문가
등록 번호: 제 40-2200794 호

★★★★★ 차별이 아닌 초월 시스템 ★★★★★

타사와 비교불가 초월 혜택!
자신 분야 온라인 건물주가 되어 100년 수입 창출!

| Google 자기계발아존 | ▶YouTube 방탄자기계발 | NAVER 방탄book기술력 | NAVER 최보규 |

이코노미 PT

기본 5H : 500,000원

CHECK POINT

☑ 기본 1회(1일=5H)

☑ 6가지 수입 창출 시스템 매뉴얼 설명

☑ 150년 A/S

이코노미 PT

기본 5H : 500,000원

- ☑ 150년 A/S (세계 최초)
- ☑ 마스터한 분야 자격증 1종 취득
- ☑ 방탄자기계발사관학교 강사 위촉
- ☑ 방탄자기계발사관학교 마스터 위촉
- ☑ 비지니스 PT 10% 할인
  (10만원 상당)
- ☑ 퍼스트클래스 PT 10% 할인
  (30만원 상당)
- ☑ 마스터한 분야 실전 2시간 강의
  교안 제공. (강사료 200만원 상당)

명품
자기개발

명품
동기부여

★★★★★ 차별이 아닌 초월 혜택 ★★★★★

Google 자기계발아마존 | YouTube 방탄자기계발 | NAVER 방탄book기술력 | NAVER 최보규

비지니스 PT

기본 10H : 1,000,000원

- ☑ 150년 A/S, 피드백
- ☑ 마스터한 분야 자격증 1종 취득
- ☑ 방탄자기계발사관학교 전임 강사 위촉
- ☑ 방탄자기계발사관학교 전임 마스터 위촉
- ☑ 퍼스트클래스 PT 10% 할인
  (30만원 상당)
- ☑ 강사 맞춤 트레이닝 비대면 1회 제공
  (50만원 상당)
- ☑ 마스터한 분야 실전 2시간 강의 교안
  제공, 1:1 맞춤 교안 설명
  (강사료 200만원 / 1:1 맞춤 100만원 상당)

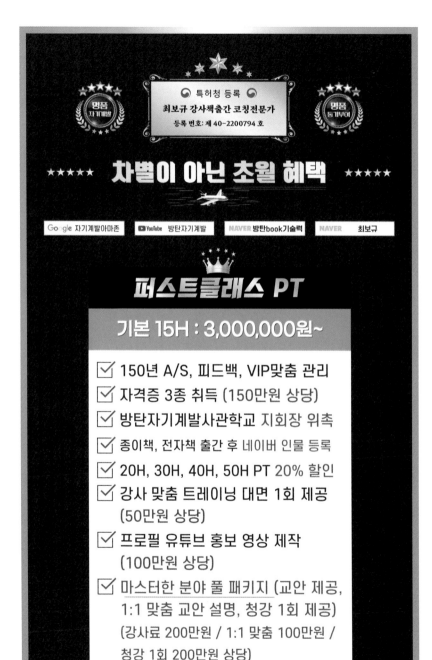

CLASS	내용
class 1	자신 분야 연결 6가지 수입 창출 기술력 컨설팅
class 2	자신 분야 삼성(진정성, 전문성, 신뢰성) 향상 책 쓰기, 책 출간 기술력 PT
class 3	자신 전문 분야로 제2수입 창출 기술력 PT
class 4	자신 전문 분야로 제3수입 창출 기술력 PT
class 5	온라인, 디지털 콘텐츠 기획, 제작 기술력 PT (4,5,6 수입 / 100년 지속적인 수입 창출 PT)

최보규 방탄동기부여 전문가
검증된 PT, 강의, 맞춤 코칭, 컨설팅

최보규 대표
010-6578-8295

방탄자기계발사관학교는 국가등록 민간자격증 발급 기관! 명품 인재 양성 기관!

리더십코칭전문가	동기부여코칭전문가	자기계발코칭전문가	강사코칭전문가	책쓰기코칭전문가

리더 분야	동기부여 분야	자기계발 분야	강의, 강사 분야	책쓰기, 책출간 분야

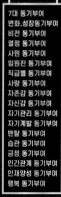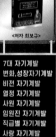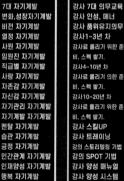

리더 분야	동기부여 분야	자기계발 분야	강의, 강사 분야	책쓰기, 책출간 분야
<저자 최보규>	<저자 최보규>	<저자 최보규>	<저자 최보규>	<저자 최보규>

방탄 리더십	7대 동기부여	7대 자기계발	강사 7대 의무교육	책 쓰기 동기부여
리더 7대의무교육	변화,성장동기부여	변화,성장자기계발	강사 인성, 매너	책 출간 동기부여
리더 품위유지의무	비전 동기부여	비전 자기계발	강사 품위유지의무	작가 품위유지의무
리더 은퇴, 재테크	열정 동기부여	열정 자기계발	강사1-3년 차	책 쓰기, 책 출간 10G
리더 동기부여	사원 동기부여	사원 자기계발	강사료 올리기 위한 준	매뉴얼, 시스템.
리더 스피치	임원진 동기부여	임원진 자기계발	비, 스펙 쌓기.	100권 출간으로 월세,
리더 사명감, 인성	직급별 동기부여	직급별 자기계발	강사4-10년 차	연금성 수입 창출전수.
리더 기본기, 태도	사랑 동기부여	사랑 자기계발	강사료 올리기 의한 준	강의 교안으로 책 쓰고
리더 자존감, 멘탈	자존감 동기부여	자존감 자기계발	비, 스펙 쌓기.	책 출간.
리더 습관, 행복	자신감 동기부여	자신감 자기계발	강사10-20년 차	출간한 책으로 강의 교
리더 인간관계	자기관리 동기부여	자기관리 자기계발	강사료 올리기 위한 준	안 작업.
인재 양성 매뉴얼	자기계발 동기부여	자기계발 자기계발	비, 스펙 쌓기.	출간한 책으로 온라인,
리더 감정컨트롤	멘탈 동기부여	멘탈 자기계발	강사 스킬UP	디지털 콘텐츠 제작.
리더 스트레스관리	습관 동기부여	습관 자기계발	강사 트레이닝	6가지 수입을 창출하
리더 라포형성기법	긍정 동기부여	긍정 자기계발	강의 스토리텔링 기법	는 책 쓰기, 책 출간.
리더 상담기법	인간관계 동기부여	인간관계 자기계발	강의 SPOT 기법	100년 지속 할 수 있
리더 코칭기법	인재양성 동기부여	인재양성 자기계발	강사 양성 매뉴얼	는 기술력을 배우는 책
리더 스토리텔링	행복 동기부여	행복 자기계발	강사 양성 시스템	쓰기, 책 출간.